LE NOUVEL ENTRAÎNEZ-V...

grammaire
niveau débutant

450
nouveaux
exercices

Évelyne SIRÉJOLS
Giovanna TEMPESTA

CLE
INTERNATIONAL

Responsable de projet
Édition multi-supports
Raphaëlle Mourey

Assistante d'édition
Corinne Schulbaum

Informatique éditoriale
Véronique Béguigné
Dalila Abdelkader

Structuration informatique
Corinne Schulbaum

Conception graphique/Mise en page
DESK

à Véronique

AVANT-PROPOS

Cette nouvelle édition des *450 exercices de grammaire*, disponible également sur CD-ROM pour permettre un travail plus ciblé et plus approfondi d'un point grammatical, propose de nombreuses modifications. Tout d'abord, un **deuxième bilan** a été ajouté afin de mieux évaluer les acquisitions à la fin de chaque chapitre. Par ailleurs, **le lexique** a été simplifié de façon à privilégier davantage l'approche grammaticale de l'apprenant. Enfin, de nombreux exercices ont été remaniés, notamment sur le plan **civilisationnel…**

Cet ouvrage s'adresse à **un public de débutants/faux débutants** en français ; il a pour objectif **le réemploi et l'ancrage de structures grammaticales** préalablement étudiées : les exercices proposés doivent permettre à l'apprenant de fixer ses acquisitions par le maniement des formes syntaxiques. Complément des méthodes, il offre un véritable entraînement grammatical.

Les quinze chapitres de cet ouvrage, introduits par un proverbe ou un dicton, couvrent les faits de langue les plus fréquemment étudiés en début d'apprentissage, avec une organisation semblable à celle des méthodes actuelles qui mettent en relation besoins langagiers de la communication quotidienne et progression grammaticale.

Conçus pour des étudiants de 1re et 2e année, les exercices sont **faciles d'accès** ; les énoncés sont brefs, sans pour autant être éloignés des réalisations langagières authentiques : les auteurs se sont inspirés de situations de communication réelles et ont pris soin d'introduire des éléments de civilisation française contemporaine.

Les exercices sont présentés de **façon claire**, accompagnés d'exemples, évitant ainsi l'introduction d'un métalangage avec lequel l'apprenant est peu familiarisé. Les exercices, composés de huit phrases chacun, sont classés dans un même chapitre du plus simple au plus élaboré.

Chaque aspect grammatical est présenté à travers une **variété d'exercices** à difficulté progressive ; **leur typologie est connue des apprenants** : exercices à trous, exercices à choix multiple, exercices de transformation et de mise en relation.

Deux bilans terminent chaque chapitre, mettant en scène les différents aspects grammaticaux étudiés. Ils permettent d'évaluer le degré d'acquisition de la difficulté grammaticale abordée et, si nécessaire, de retravailler les points encore mal acquis.

La conception pédagogique de chaque activité veut amener l'apprenant **à réfléchir sur chaque énoncé**, tant du point de vue syntaxique que du point de vue sémantique. Les exercices dont les réponses sont nécessairement dirigées n'impliquent pas pour autant un travail automatique sans réflexion sur les faits de langue étudiés.

Quant aux temps des verbes, dont la maîtrise est souvent difficile, ce n'est pas seulement leur formation qui importe mais aussi leur **emploi** et leur **valeur**.

Afin de faciliter l'**entraînement des apprenants autonomes**, chaque exercice trouve sa correction, ou les différentes formes acceptables, dans le livret *Corrigés*, placé à l'intérieur de l'ouvrage ; le professeur ou l'élève peut ainsi décider de le retirer ou de le conserver dès le début de l'apprentissage.

L'index devrait également faciliter l'utilisation de ce cahier ; grâce aux multiples renvois à l'intérieur des chapitres, il permet d'avoir accès à une difficulté grammaticale particulière ne figurant pas dans le sommaire.

Cet ouvrage devrait ainsi apporter à l'étudiant une plus grande maîtrise de la langue en lui donnant l'occasion d'affiner sa compétence linguistique… et par là même sa compétence de communication en français.

SOMMAIRE

I. LE GENRE ET LE NOMBRE

Petite pluie abat grand vent.

A. LE NOM

1 | Soulignez les noms masculins de cette liste.

Exemples : <u>été</u>   <u>moment</u>   mer

a. plage   b. campagne   c. départ   d. voyage

e. arrivée   f. week-end   g. montagne   h. train

2 | Masculin ou féminin ? (notez M ou F).

Exemples : neveu (**M**)   fille (**F**)   fils (**M**)

a. nièce ( )   b. père ( )   c. tante ( )   d. cousin ( )

e. oncle ( )   f. sœur ( )   g. frère ( )   h. mère ( )

3 | Soulignez les noms féminins.

Exemples : mensuel   article   <u>publicité</u>

a. journal   b. télévision   c. revue   d. chaîne

e. station   f. magazine   g. radio   h. information

4 | Masculin ou féminin ? (notez M ou F).

Exemples : livre (**M**)   cahier (**M**)   dictée (**F**)

a. image ( )   b. classe ( )   c. âge ( )   d. école ( )

e. langue ( )   f. dictionnaire ( ) g. feuille ( )   h. stylo ( )

5 | Retrouvez les titres des chansons de Charles Trenet. Rayez ce qui ne convient pas.

Exemple :   ~~Le~~/La romance de Paris.

a. Le/La famille musicienne.   b. Le/La jardin extraordinaire.

c. Le/La soleil et le/la lune.   d. Le/La prince.

e. Le/La mer.   f. Le/La pauvre Antoine.

g. Le/La maison du poète.   h. Le/La route enchantée.

6 Parmi les trois pays, soulignez celui qui est masculin.

Exemple : <u>Mali</u> – Australie – Argentine

a. Brésil – Hollande – Bulgarie
b. Inde – Pérou – Roumanie
c. Iran – Tunisie – Somalie
d. Chili – Islande – Jordanie
e. Portugal – Chine – Irlande
f. Colombie – Indonésie – Japon
g. Arabie Saoudite – Équateur – Hongrie
h. Libye – Turquie – Danemark

7 Cochez les noms de pays masculins.

Exemple : ☒ Maroc   ☐ Pologne   ☐ Irlande

a. ☐ Italie   ☐ Grèce   ☐ Argentine
b. ☐ Turquie   ☐ Mozambique   ☐ Syrie
c. ☐ Mexique   ☐ Égypte   ☐ Suisse
d. ☐ Corée   ☐ Norvège   ☐ Belgique
e. ☐ Thaïlande   ☐ Finlande   ☐ France
f. ☐ Autriche   ☐ Cambodge   ☐ Angleterre
g. ☐ Espagne   ☐ Suède   ☐ Russie
h. ☐ Allemagne   ☐ Algérie   ☐ Bolivie

8 Retrouvez les féminins de ces professions.

Exemple : crémier → **crémière**

a. comédien → ....
b. boulanger → ....
c. pharmacien → ....
d. cuisinier → ....
e. ouvrier → ....
f. jardinier → ....
g. musicien → ....
h. informaticien → ....

9 Écrivez ces phrases au masculin.

Exemples : Elle est agricultrice.→ **Il est agriculteur**.
Elle est vendeuse.→ **Il est vendeur**.

a. Elle est serveuse. → ....
b. Elle est restauratrice. → ....
c. Elle est présentatrice. → ....
d. Elle est danseuse. → ....
e. Elle est inspectrice. → ....
f. Elle est directrice. → ....
g. Elle est actrice. → ....
h. Elle est coiffeuse. → ....

10 Écrivez ces phrases au féminin.

Exemples : Il est instituteur. → **Elle est institutrice**.
Il est chanteur. → **Elle est chanteuse**.

a. Il est parfumeur. → ....
b. Il est aviateur. → ....
c. Il est nageur. → ....
d. Il est patineur. → ....
e. Il est traducteur. → ....
f. Il est éditeur. → ....
g. Il est skieur. → ....
h. Il est ambassadeur. → ....

11 Soulignez la forme correcte.

Exemple : Hélène est commerçant – <u>commerçante</u>.

a. François est employé – employée de banque.   b. Valérie est enseignant – enseignante.

c. Patricia est marchand – marchande de journaux.   d. Pierre est patron – patronne.

e. Michèle est avocat – avocate.   f. Alain est représentant – représentante.

g. Élisabeth est laborantin – laborantine.   h. Paul est paysan – paysanne.

12 Parmi ces mots, soulignez ceux qui s'emploient à la fois au masculin et au féminin.

Exemples : <u>archéologue</u>   <u>journaliste</u>   caissier

vétérinaire – historien – guide – libraire – pâtissier – mécanicien – secrétaire – dentiste – fleuriste – architecte – magicien – banquier – scientifique – pianiste – photographe – fromager

13 Mettez au féminin ces professions lorsque c'est possible.

Exemple : écrivain sympathique → *C'est un écrivain sympathique*.

a. boucher timide → ....

b. auteur belge → ....

c. fermier énergique → ....

d. professeur sévère → ....

e. peintre médiocre → ....

f. animateur dynamique → ....

g. médecin antipathique → ....

h. technicien formidable → ....

14 Répondez selon le modèle.

Exemple : Tu connais les États-Unis ?

Non, mais je connais *un Américain* et *une Américaine*.

a. Tu connais les Pays-Bas ? → ....

b. Tu connais la Chine ? → ....

c. Tu connais la Belgique ? → ....

d. Tu connais l'Espagne ? → ....

e. Tu connais l'Australie ? → ....

f. Tu connais la Suisse ? → ....

g. Tu connais la Corée ? → ....

h. Tu connais la France ? → ....

15 Selon le cas, mettez le nom au masculin ou au féminin.

Exemple : un châtelain → *une châtelaine*

a. un cousin → ....   b. une hôtesse → ....

c. un roi → ....   d. un chat → ....

e. une épouse → ....   f. un baron → ....

g. une juive → ....   h. un captif → ....

16 Masculin ou féminin ?

Exemple : une comtesse → *un comte*

a. une gamine → ....
b. un paysan → ....
c. un héros → ....
d. un tigre → ....
e. un veuf → ....
f. une fugitive → ....
g. un jumeau → ....
h. une amie → ....

17 Soulignez les noms qui s'emploient toujours ou souvent au pluriel.

Exemples : les enfants   les mœurs   les informations

a. les vacances
b. les pieds
c. les toilettes
d. les gens
e. les vêtements
f. les fiançailles
g. les ciseaux
h. les funérailles

18 Rayez ce qui ne convient pas et retrouvez les titres de ces films français.

Exemple : Les parapluie/parapluies de Cherbourg. (*Jacques Demy*)

a. La femme/femmes d'à côté. (*François Truffaut*)
b. La mariée/mariées était en noir. (*François Truffaut*)
c. Les visiteur/visiteurs du soir. (*Marcel Carné*)
d. Les vacance/vacances de Monsieur Hulot. (*Jacques Tati*)
e. Les enfant/enfants du paradis. (*Marcel Carné*)
f. Les bronzé/bronzés font du ski. (*Patrice Leconte*)
g. Le mari/maris de la coiffeuse/coiffeuses. (*Patrice Leconte*)
h. Les demoiselle/demoiselles de Rochefort. (*Jacques Demy*)

19 Retrouvez les lieux touristiques parisiens.

a. le

b. la

c. l'

d. les

1. tour Eiffel
2. Champs-Élysées
3. Moulin-Rouge
4. Folies-Bergère
5. Pyramide du Louvre
6. Arc de triomphe
7. Galeries Lafayette
8. Arche de la Défense

20 Écrivez ces noms au pluriel.

Exemples : un lieu → *des lieux*   un pneu → *des pneus*

a. un taureau → ....
b. un cheveu → ....
c. un bleu → ....
d. une eau → ....
e. un jumeau → ....
f. un feu → ....
g. un carreau → ....
h. un jeu → ....

21 Trouvez le pluriel de ces noms.

Exemples : un caillou → ***des cailloux***   un sou → ***des sous***

a. un genou → ....   b. un cou → ....

c. un bijou → ....   d. un clou → ....

e. un chou → ....   f. un fou → ....

g. un hibou → ....   h. un trou → ....

22 Retrouvez le singulier de ces noms.

Exemples : des animaux → ***un animal***   des gâteaux → ***un gâteau***

a. des bateaux → ....   b. des journaux → ....

c. des châteaux → ....   d. des travaux → ....

e. des chevaux → ....   f. des coraux → ....

g. des tableaux → ....   h. des vitraux → ....

23 Accordez les noms entre parenthèses.

Exemple :   Tu achètes des ***bocaux*** (bocal) de cerises ?

a. Il y a des .... (festival) de jazz dans le Sud ?

b. Elle ne connaît pas les .... (hôpital) de la région.

c. Ils dansent dans tous les .... (bal) du quartier.

d. J'aime beaucoup les .... (animal).

e. Pierre préfère les .... (carnaval) d'Amérique latine.

 f. J'ai des .... (mal) d'estomac.

g. Sylvie donne des .... (récital) dans toute la France.

h. Monsieur Renaud a des .... (capital) dans une banque suisse.

24 Soulignez les noms qui restent identiques au singulier ou au pluriel.

Exemple :   <u>mois</u> – <u>voix</u> – zoos

a. souris – stylos – sacs   b. riz – croix – roux

c. nez – pays – mains   d. lits – ours – rues

e. noix – prix – lois   f. os – rois – Français

g. poids – livres – sœurs   h. Chinois – places – étudiants

25 Écrivez le pluriel de ces noms et lisez-les à haute voix.

Exemples : aïeul → ***aïeux***   ciel → ***cieux***

a. œil → ....   b. mademoiselle → ....

c. monsieur → ....   d. madame → ....

e. gentilhomme → ....   f. œuf → ....

g. bonhomme → ....   h. bœuf → ....

26 Écrivez les noms entre parenthèses au pluriel.

Exemple : Achète des **fruits** (fruit) !

a. Les voisins ont trois .... (animal).

b. Dominique aime les .... (jeu) de cartes.

c. Elle a mal aux .... (œil).

d. Les enfants adorent les .... (carnaval).

e. Évelyne fait des .... (travail) chez elle.

f. Je prends deux .... (autobus) pour aller au bureau.

g. Mon père n'aime pas les .... (oiseau).

h. Il y a quatre .... (chambre) dans mon appartement.

B. LES PRONOMS SUJETS

27 Rayez les pronoms qui ne conviennent pas.

Exemple : J'/Je/Tu cherches un appartement à Marseille ?

a. J'/Je/Tu habite à l'hôtel *Rive gauche* ?   b. J'/Je/Tu vais à la gare Saint-Lazare.

c. J'/Je/Tu étudie l'italien à l'université.   d. J'/Je/Tu reste à la maison aujourd'hui.

e. J'/Je/Tu manges au restaurant demain ?   f. J'/Je/Tu habites chez une famille française ?

g. J'/Je/Tu passe chez Paule ce soir.   h. J'/Je/Tu es au 30, rue du paradis ?

28 Rayez le verbe à la forme incorrecte.

Exemple : Tu travaille/travailles dans cet immeuble ?

a. Tu visite/visites une chambre boulevard Saint-Germain ?

b. J'habite/habites dans le 12ᵉ arrondissement.

c. Tu vais/vas sur les Champs-Élysées.

d. Je dîne/dînes chez moi.

e. J'adore/adores ce quartier.

f. Tu loge/loges dans un hôtel.

g. J'ai/as un appartement en banlieue.

h. Je suis/es au septième étage.

29 Complétez par *il* ou *elle*.

Exemple : **Elle** s'appelle Giovanna ? – Oui, **elle** est italienne.

a. .... voyage en avion ? – Bien sûr, ... est aviateur.

b. .... est dentiste ? – Non, ... est infirmière.

c. .... parle français ? – Non, ... est américaine.

d. .... est russe ? – Oui, ... s'appelle Olga.

e. .... est professeur d'anglais ? – Oui, ... est anglaise.

f. .... déteste la ville, ... est agricultrice.

g. .... aime le café ? – Bien sûr, ... est colombien.

h. .... fait du sport, ... est nageur.

30 Cochez la ou les réponse(s) possible(s).

> *Exemple :* <u>Elles</u> regardent la télévision.
>
> 1. ☐ les parents   2. ☒ les étudiantes   3. ☐ les voisins

a. <u>Ils</u> écoutent toujours la radio ?

1. ☐ Paul et Patrick   2. ☐ les enfants   3. ☐ Anne et Marie

b. <u>Elle</u> lit le journal tous les soirs.

1. ☐ le professeur   2. ☐ la voisine   3. ☐ les élèves

c. <u>Il</u> achète *Le Monde* chaque jour.

1. ☐ Pierre et Sylvie   2. ☐ le père de Marc   3. ☐ l'amie de Jacques

d. <u>Elles</u> suivent le feuilleton de l'été.

1. ☐ les spectateurs   2. ☐ les téléspectatrices   3. ☐ le public

e. <u>Il</u> loue toujours les mêmes vidéos !

1. ☐ le frère de Catherine   2. ☐ Monsieur Renaud   3. ☐ la famille

f. <u>Elle</u> emprunte des livres à la médiathèque.

1. ☐ les gens   2. ☐ Christine   3. ☐ les personnes âgées

g. <u>Ils</u> regardent souvent la chaîne France 2.

1. ☐ Patricia et Laurent   2. ☐ les grands-parents   3. ☐ les amis de Nicolas

h. <u>Elles</u> préfèrent écouter France Inter.

1. ☐ les collègues   2. ☐ les femmes   3. ☐ les étudiants

31 Tutoyez.

> *Exemple :* Vous êtes souffrant. → *Tu es* souffrant.

a. Vous allez mieux ? → ....

b. Vous vous sentez bien ? → ....

c. Vous allez chez le dentiste. → ....

d. Vous êtes malade ? → ....

e. Vous avez un rhume ? → ....

f. Vous vous portez bien ? → ....

g. Vous avez mal à la tête. → ....

h. Vous toussez un peu. → ....

32 Vouvoyez.

> *Exemple :* Tu parles français ? → *Vous parlez* français ?

a. Tu es en vacances ? → ....

b. Tu as l'heure ? → ....

c. Tu viens ici souvent ? → ....

d. Tu aimes cette musique ? → ....

e. Combien gagnes-tu ? → ....

f. Tu es marié ? → ....

g. Comment tu trouves ce bar ? → ....

h. Tu connais bien cet endroit ? → ....

33 **Vouvoyez ou tutoyez ?**

Exemples : **Tu** es étudiant en philosophie. **Vous** allez à l'université.

a. .... êtes en 3ᵉ année d'économie.
b. .... apprends le droit à la faculté.
c. .... étudies à la Sorbonne.
d. .... faites des études de langue.
e. .... as beaucoup de diplômes.
f. .... passez des examens à la fin du mois.
g. .... suivez une formation de secrétariat.
h. .... suis un cours de français.

34 **Rayez les pronoms qui ne conviennent pas.**

Exemple : Excusez-moi, vous êtes libre ?
– Désolé, je/~~on/nous~~ suis occupé.

a. Qu'est-ce que je peux faire pour vous ?
 – Je/On/Nous voudrais une chambre avec salle de bains, s'il vous plaît.
b. Excusez-moi, vous avez une minute ?
 – Oui, je/on/nous sommes libres.
c. Vous avez choisi ?
 – Oui, bien sûr. Je/On/Nous aime bien le vin rouge, alors un Bordeaux.
d. Vous voulez un renseignement ?
 – Je/On/Nous voudrait connaître les horaires de trains.
e. Vous désirez ?
 – Je/On/Nous peux sentir ce parfum ?
f. Vous cherchez quelque chose de précis ?
 – Oui, je/on/nous cherchons le dernier roman de Patrick Modiano.
g. Je peux vous renseigner ?
 – Non, merci, je/on/nous regardons seulement.
h. Qu'est-ce que vous prenez ?
 – Je/On/Nous prend deux croque-monsieur et une carafe d'eau.

35 *On* ou *nous*. **Choisissez la forme correcte et retrouvez ces expressions et proverbes français.**

Exemple : ~~On~~/Nous payons les pots cassés.

a. On/Nous ne fait pas d'omelette sans casser d'œufs.
b. On/Nous filons à l'anglaise.
c. On/Nous avons l'estomac dans les talons.
d. On/Nous ne prête qu'aux riches.
e. On/Nous sommes dans de beaux draps.
f. On/Nous reconnaît l'arbre à ses fruits.
g. Plus on/nous est de fous, plus on/nous rit.
h. On/Nous coupons la poire en deux.

36 | Associez les éléments pour faire des phrases (plusieurs possibilités).

a. Je
b. J'
c. Tu ──────────────────────────────────────→
d. Il
e. Elle
f. On
g. Nous
h. Vous
i. Ils
j. Elles

1. avons quatre enfants.
2. vis dans une grande ville.
3. aime beaucoup le champagne.
4. y a une place ?
5. es étudiante ?
6. habitent en France.
7. s'appellent M. et Mme Renaud.
8. connaissez mon adresse ?

C. LES ADJECTIFS

37 | Rayez la forme incorrecte.
Exemple : J'adore ta robe bleu/bleue.

a. Le pharmacien est très poli/polie.
b. La conductrice est blessé/blessée.
c. Patricia est matinal/matinale.
d. Mon voisin est portugais/portugaise.
e. Vanessa est élégant/élégante.
f. La date est antérieur/antérieure.
g. Ma mère est joli/jolie.
h. Christine est bavard/bavarde.

38 | Accordez les adjectifs entre parenthèses.
Exemple : Mon amie est **bolivienne** (bolivien).

a. Marie habite dans une capitale .... (européen).
b. Il parle une langue .... (étranger).
c. Ma voisine est .... (menteur).
d. J'aime beaucoup cette couleur .... (naturel).
e. Ma grand-mère est très .... (conservateur).
f. Je connais une histoire .... (merveilleux).
g. Regarde ! C'est une bague très .... (ancien).
h. Sa mère est une femme .... (actif).

39 | Rayez la forme inexacte et retrouvez les titres de ces films français.
Exemple : Le dernier/dernière métro. (*François Truffaut*)

a. La vie est un long/longue fleuve tranquille. (*Étienne Chatiliez*)
b. Le grand/grande blond avec une chaussure noir/noire. (*Yves Robert*)
c. Le petit/petite criminel. (*Jacques Doillon*)
d. L'été meurtrier/meurtrière. (*Jacques Becker*)
e. La peau doux/douce. (*François Truffaut*)

f. Vie privé/privée. (*Louis Malle*)

g. L'année prochain/prochaine si tout va bien. (*Jean-Loup Hubert*)

h. La grand/grande illusion. (*Jean Renoir*)

40 **Associations possibles. Réunissez les différents éléments pour retrouver ces expressions.**

a. Elle est ――――――――――――――――→   1. fermé comme une huître.

2. lent comme un escargot.

3. blanche comme une colombe.

b. Il est   4. noir comme un corbeau.

5. grosse comme une baleine.

6. amoureux comme un chat.

7. frisée comme un mouton.

8. heureuse comme un poisson dans l'eau.

41 **Soulignez l'adjectif qui convient.**

Exemple :   C'est un <u>faux</u> – fausse problème.

a. Voici mon nouveau – nouvelle vélo.

b. La peinture est sec – sèche.

c. Je mets ma jupe blanc – blanche.

d. Mon mari est très jaloux – jalouse.

e. Achète de la crème frais – fraîche.

f. Tu as une beau – belle maison.

g. Ma moto est neuf – neuve.

h. J'adore cette vieux – vieille actrice.

42 **Mettez les adjectifs à la forme qui convient.**

Exemple :   Je vis dans un immeuble ***ancien*** (ancien).

a. J'habite dans un .... (beau) appartement.

b. Vous occupez la suite .... (royal).

c. Elle vit dans un .... (vieux) immeuble.

d. Il séjourne dans une villa .... (marseillais).

e. Nous descendons toujours dans un .... (beau) hôtel.

f. Tu es au .... (premier) étage.

g. Nous logeons à l'hôtel « Le .... (fou) espoir ».

h. Je suis maintenant dans un .... (nouveau) arrondissement.

43 **Indiquez si c'est un homme (H) ou une femme (F) dont on parle.**

Exemple :   Tu es courageuse. (***F***)

a. Tu es certain ? ( )

b. Comme tu es rêveuse ! ( )

c. Tu es sérieux ? ( )

d. Tu es trop grosse ! ( )

e. Tu es rousse. ( )

f. Tu es bonne en maths ? ( )

g. Tu es inquiet. ( )

h. Tu es très brune. ( )

44 Soulignez les adjectifs masculins qui ont la même orthographe au singulier et au pluriel.

Exemple : jolis – <u>roux</u> – <u>japonais</u>

a. blancs – heureux – nouveaux

b. français – bas – fous

c. nerveux – rapides – gras

d. souriants – bruns – courageux

e. intelligents – doux – malheureux

f. vieux – beaux – hébreux

g. mauvais – mous – jaloux

h. gris – faux – frais

45 Mettez les adjectifs entre parenthèses au pluriel.

Exemple : Je fais mes courses dans les centres **commerciaux** (commercial).

a. J'adore les Jeux .... (international) d'athlétisme.

b. Il travaille dans les chantiers .... (naval).

c. Je ne connais pas la date des examens .... (final).

d. Les prix sont .... (normal).

e. Ce sont des artistes .... (original).

f. Les .... (principal) musées sont fermés le mardi.

g. Les articles de ce journaliste sont .... (banal).

h. Ce sont des tarifs .... (spécial).

46 Accordez les adjectifs entre parenthèses.

Exemple : Elles détestent les roses **jaunes** (jaune).

a. Il a les yeux .... (marron).

b. Elle porte des chaussures .... (blanc).

c. Tu mets toujours ces gants .... (orange).

d. Je n'aime pas ces lunettes .... (vert).

e. Nous prenons les fleurs .... (rose).

f. Tu préfères les boucles d'oreilles .... (bleu) ou .... (violet) ?

g. J'adore ces bottes .... (noir).

h. Vous avez des chemises .... (rouge) ?

47 Mettez les adjectifs à la bonne place.

Exemple : mes baskets (vieilles) → **mes vieilles baskets**

Je pars ce week-end en Bretagne. Je prends avec moi :

a. un parapluie (grand) → ....

b. un pull en laine (gros) → ....

c. mon imperméable (gris) → ....

d. mon bonnet (nouveau) → ....

e. mes bottes (neuves) → ....

f. un pantalon (épais) → ....

g. des gants (chauds) → ....

h. une écharpe (bonne) → ....

48 **Accordez et ajoutez les adjectifs.**

Exemple : Pierre aime la bière (blond – bon). → Pierre aime la **bonne** bière **blonde**.

a. C'est un professeur (amusant – jeune). → ....

b. J'ai une voiture (vieux – blanc). → ....

c. Nathalie Sarraute est un écrivain (grand – français). → ....

d. C'est un tableau (remarquable – petit). → ....

e. Mes parents connaissent un restaurant (parisien – bon). → ....
....

f. Elle vend une table (rond – joli). → ....

g. Mon frère travaille dans un quartier (beau – bourgeois). → ....
....

h. Sophie a deux poissons (rouge – gros). → ....

Bilans

49 Voici une lettre de remerciement. Complétez ou choisissez le mot juste.

Ma (cher) .... *(1) Marie,*

Une merveille, le petit/petites/petits (2) pull bleu/bleue/bleus (3) que .... (4) as acheté pour notre fils/fille/filles (5) Sophie. .... (6) va admirablement bien avec ses cheveu/cheveux (7) blonds/blond/blondes (8) et son teint clair/clairs/claire (9), et .... (10) le trouve d'une grand/grande/grands (11) élégance. Entre nous, ... (12) crois que c'est .... (13) vêtement le plus beau/bel/beaux (14) de sa garde-robe. .... (15) espérons, Christian et moi, te voir à .... (16) fête que .... (17) donnons .... (18) samedi 15 juin à .... (19) maison pour la naissance/naissances (20) de Sophie.

À très bientôt,

.... (21) t'embrasse.

Patricia.

50 Complétez ou choisissez le mot juste et accordez les adjectifs entre parenthèses.

– Allô Paul ! Bonjour, c'est Henri Duval. .... (1) recherche une (beau) .... (2) comédien/comédienne (3) pour jouer dans ma (nouveau) .... (4) pièce de théâtre. .... (5) aimerais une (jeune/brun) .... fille .... (6) aux yeux (vert) .... (7), de (grand) .... (8) taille et à la voix (doux) .... (9). Je voudrais aussi un (vieux) .... (10) homme aux cheveu/cheveux (11) (blanc) .... (12) de taille (moyen) .... (13) pour jouer le/la (14) rôle du père. C'est possible ? .... (15) crois ?

– Oui, je pense à un/une (16) actrice (français) .... (17) de 25 an/ans (18) : Béatrice Dormont. .... (19) est disponible et c'est un/une (20) personne (intéressant) .... (21). Mais pour le/la (22) (deuxième) .... (23) personnage, je n'ai pas d'idée. Je te rappelle le/la (24) semaine (prochain) .... (25).

– D'accord. .... (26) pouvons prendre rendez-vous pour le/la (27) samedi 20 avril.

– Entendu. Au revoir.

II. LES DÉTERMINANTS

Une hirondelle ne fait pas le printemps.

A. ARTICLES DÉFINIS/INDÉFINIS

51 Rayez le nom qui ne convient pas avec le déterminant.

Exemples : une maison/~~hôtel~~   un ~~H.L.M.~~/logement

a. un propriété/chalet

b. un cafétéria/café

c. une studio/habitation

d. un trois pièces/location

e. une restaurant/résidence secondaire

f. un théâtre/auberge

g. un immeuble/villa

h. une chambre d'étudiant/appartement

52 Complétez les phrases suivantes par *un, une* ou *des*.

Exemple :   À Paris, on peut voir **des** films de tous les pays.

a. On expose .... photos remarquables à la Fnac.

b. Il y a .... beau concert ce soir à l'église Saint-Eustache.

c. .... touristes font toujours la queue en bas de la tour Eiffel.

d. .... nouvelle exposition a lieu ce mois-ci au Centre Pompidou.

e. Mes amis veulent assister à .... pièce à la Comédie-Française.

f. Pour le 14 Juillet, on organise .... immense feu d'artifice à la Défense.

g. .... musiciens très célèbres passent à la salle Pleyel.

h. À Bercy, on donne parfois .... opéras.

53 Associez les éléments à l'aide d'une flèche pour en faire des phrases.

a. Nous avons une

b. Vous regardez un

c. Elles achètent des

d. Tu lis une

e. Elle prend une

f. Je fais des

g. On écoute un

h. J'admire un

1. jouets pour les enfants.

2. nouvelle revue.

3. progrès étonnants en italien.

4. vieux disque d'Aznavour.

5. gentille voisine.

6. paysage splendide.

7. bonne douche.

8. album de photos.

54 Complétez par *un, une* ou *des*.

Exemple : Vous prenez **un** stylo.

a. Vous posez .... feuille de papier sur votre table.

b. Vous choisissez .... ami éloigné.

c. Vous écrivez .... lettre.

d. Vous mettez votre lettre dans .... enveloppe.

e. Vous n'oubliez pas de coller .... timbre.

f. Vous déposez l'enveloppe dans .... boîte aux lettres.

g. .... facteur vient prendre le courrier.

h. Dans .... autre ville, ... ami est heureux de recevoir votre lettre.

55 Complétez par *le* ou *la*.

Exemples : **la** jupe à fleurs   **le** sac de Pierre

a. .... manteau de Sophie

b. .... veste de Jean

c. .... pull gris en laine

d. .... robe à carreaux

e. .... ceinture du peignoir

f. .... costume de Nicolas

g. .... pantalon de mon père

h. .... chemise à pois

56 Complétez par *le, la* ou *l'*.

Exemples : **l'**armoire   **le** tapis

a. .... escalier

b. .... étagère

c. .... cuisine

d. .... chambre

e. .... cheminée

f. .... salon

g. .... ascenseur

h. .... salle de bains

57 Complétez les phrases suivantes par *le, la* ou *l'*.

Exemple : Voici **le** frère de ma copine.

a. Je te présente .... amie de ma sœur.

b. C'est .... cousin de Pierre.

c. Je ne connais pas .... tante de Brigitte.

d. Voici .... mari de ma cousine.

e. Veux-tu rencontrer .... oncle de Thomas ?

f. C'est .... nièce de Joseph ?

g. Tu as rendez-vous avec .... grand-père d'Antoine ?

h. J'ai croisé .... belle-sœur de Charlotte dans la rue.

58 Rayez ce qui ne convient pas.

Exemple : C'est le/~~la~~/~~l'~~ livre que nous utilisons.

a. Je fais le/la/l' exercice pour demain.

b. Je regarde le/la/l' couverture de mon livre.

c. Les étudiants adorent le/la/l' professeur d'histoire.

d. Voici le/la/l' salle E36.

e. Le/La/L' amphithéâtre se trouve au fond du couloir.

f. Le/La/L' secrétariat de le/la/l' école est ouvert du lundi au vendredi.

g. On se retrouve à le/la/l' cafétéria à 11 heures.

h. Le/La/L' année universitaire est organisée en semestres.

59 **Mettez ces groupes de mots au singulier.**

Exemple : les journaux sportifs → *le journal sportif*

a. les joueurs nationaux → ....

b. les derniers jeux → ....

c. les piscines olympiques → ....

d. les chevaux noirs → ....

e. les footballeurs européens → ....

f. les bateaux internationaux → ....

g. les équipes françaises → ....

h. les skieuses suisses → ....

60 **Complétez les phrases suivantes par** *le, la, l'* **ou** *les***.**

Exemple : Je lis *les* nouvelles tous *les* matins.

a. .... soir, elle suit .... actualité à .... télévision.

b. À midi, j'écoute .... radio.

c. Nous suivons .... informations avec attention.

d. Patrick Poivre d'Arvor est .... grand journaliste de TF1.

e. .... chaîne de télévision culturelle s'appelle Arte.

f. Radio France est .... seule radio publique.

g. .... publicités sont très nombreuses sur Europe 1.

h. J'achète .... journal *Le Monde*.

61 **Complétez par** *le, l'* **ou** *un***.**

Exemples : C'est *un* ami.   C'est *le* directeur de *l'*hôtel.

a. Regarde .... programme des films.

b. Qu'est-ce que c'est ? C'est .... cadeau ?

c. Expliquez-moi .... chemin pour aller à Lyon !

d. Pouvez-vous me donner .... renseignement ?

e. Je cherche .... bon restaurant.

f. Nous avons une chambre à .... hôtel en face de la plage.

g. Il a manqué .... train de 8 h 07.

h. Je voudrais .... billet pour Paris.

62 **Complétez par** *le, la, l', un* **ou** *une***.**

Exemple : On va voir *un* ballet à *l'*Opéra Garnier.

a   Pour aller à la gare Saint-Lazare, il faut prendre .... bus, le 174 ou le 85.

b. .... avion pour Marseille, le vol AH 361, décolle dans dix minutes.

c. Il y a .... gros camion devant l'immeuble.

d. J'ai pris .... dernier train de nuit.

e. À Nîmes, ... autoroute est fermée pour travaux ?

f. .... bus 72 va à .... porte de Champerret.

g. .... aéroport de Nice se trouve au bord de .... mer.

h. Regarde ! Il y a .... taxi au coin de .... rue.

63 **Rayez l'article inexact.**

Exemple : Est-ce qu'il y a le/un médecin dans la salle ?

a. Elle a le/un rendez-vous chez le/un docteur Martin.

b. Je cherche le/un numéro de téléphone de l'/un hôpital Necker.

c. Connais-tu l'/une infirmière dans le/un quartier ?

d. La/Une pharmacie est au bout de la/une rue.

e. Voici l'/une adresse de mon dentiste.

f. Il doit passer chez le/un pharmacien pour acheter le/un médicament.

g. Bonjour monsieur. C'est vous l'/un infirmier ?

h. Toutes les semaines le/un médecin passe chez lui.

64 **Complétez par** *le, la, l', un, une, les* **ou** *des.*

Exemple : Quelles sont *les* formalités pour aller en Égypte ?

a. Faut-il .... passeport et .... visa ?

b. Y a-t-il .... vaccins obligatoires ?

c. Quelle est .... saison idéale ?

d. Combien coûte .... billet d'avion ?

e. .... hôtels sont-ils chers ?

f. Quels sont .... monuments à voir ?

g. Faut-il .... autorisation pour visiter certaines tombes ?

h. Quelle est .... monnaie locale ?

B. LES PARTITIFS

65 **Complétez par** *du* **ou** *de la.*

Exemple : Dans ce village de vacances, on peut faire : *du* ski nautique,

a. .... tir à l'arc,

b. .... tennis,

c. .... peinture,

d. .... danse moderne,

e. .... natation,

f. .... jogging,

g. .... gymnastique,

h. et .... volley-ball.

66 Complétez par *du, de la* ou *de l'*.

Exemple : J'ai une faim de loup ; donnez-moi : *du* gâteau,

a. .... pain,

b. .... salade,

c. .... beurre,

d. .... homard,

e. .... omelette,

f. .... fromage,

g. .... tarte,

h. .... ananas.

67 Rayez ce qui ne convient pas.

Exemple : Il meurt de soif ; apportez-lui : du/~~de la~~/~~de l'~~ thé glacé,

a. du/de la/de l' eau,

b. du/de la/de l' bière,

c. du/de la/de l' soda,

d. du/de la/de l' cidre,

e. du/de la/de l' orangeade,

f. du/de la/de l' jus de fruits,

g. du/de la/de l' vin,

h. du/de la/de l' limonade.

68 Faites des phrases sur le modèle donné.

Exemple : Je voudrais une tasse de thé. → Je voudrais *du* thé.

a. Nous prendrons un plateau de fruits de mer. → ....

b. Voulez-vous un bol de soupe ? → ....

c. Donnez-moi une assiette de charcuterie ! → ....

d. Elle achète une bouteille d'eau. → ....

e. On boit une tasse de café ? → ....

f. Prenez donc une assiette de crudités ! → ....

g. Je voudrais un plat de poisson. → ....

h. Ils commandent deux verres de vin blanc. → ....

69 Répondez aux questions en tenant compte des mots entre parenthèses.

Exemple : Elle mange des frites ? (peu) → Elle mange *peu de* frites.

a. Il boit du vin ? (beaucoup) → ....

b. Tu veux encore des légumes ? (plus) → ....

c. Ils achètent du pain ? (trop) → ....

d. On commande des salades ? (beaucoup) → ....

e. Vous prenez du whisky ? (peu) → ....

f. Tu désires de la glace ? (plus) → ....

g. Elles mangent des gâteaux ? (trop) → ....

h. Nous demandons de l'eau ? (un peu) → ....

C. LES DÉTERMINANTS À LA FORME NÉGATIVE

70 Répondez négativement aux questions posées.

> *Exemples :* Il fait du sport ? → Non, il **ne** fait **pas de** sport.
>
> Elle fait de l'alpinisme ? → Non, elle **ne** fait **pas d'**alpinisme.

a. Vous écoutez de la musique ? → ....

b. Elle joue du piano ? → ....

c. Vous prenez du pain ? → ....

d. As-tu du travail ce soir ? → ....

e. Tu prends de l'argent ? → ....

f. Il fait du ski ? → ....

g. Elle a de la monnaie ? → ....

h. Voulez-vous de l'ananas ? → ....

71 Faites des réponses négatives.

> *Exemples :* Vous aimez les fruits ? → Non, je **n'**aime **pas** les fruits.
>
> Prend-elle une crème au caramel ? → Non, elle **ne** prend **pas de** crème au caramel.

a. Mangez-vous des glaces ? → ....

b. Tu aimes les sorbets ? → ....

c. Veux-tu une soupe ? → ....

d. Elle déteste le potage ? → ....

e. Mange-t-il du poisson ? → ....

f. Ils veulent manger des escargots ? → ....

g. Elle préfère les desserts ? → ....

h. Alors, vous prenez du fromage ? → ....

72 Posez les questions correspondant aux réponses données.

> *Exemples :* **Tu regardes la télé ?** ← Non, je ne regarde pas la télé.
>
> **Elle a des problèmes ?** ← Non, elle n'a pas de problèmes.

a. .... ← Non, il n'aime pas le jazz.

b. .... ← Non, je n'achète pas de biscuits.

c. .... ← Non, on ne mange pas de beurre.

d. .... ← Non, nous n'aimons pas les cuisses de grenouilles.

e. .... ← Non, je ne prends pas d'alcool.

f. .... ← Non, je ne mange pas de haricots.

g. .... ← Non, elle n'aime pas le chocolat.

h. .... ← Non, ils ne veulent pas d'eau.

73 Complétez par *le, la, l', les, un, une, des, du, de la, de l', de* **ou** *d'.*

> *Exemple :* Elle fait **du** ski ? – Non, elle déteste **le** froid et **la** montagne en hiver.

a. Tu fais .... progrès ? – Oui, j'ai .... bon professeur et .... temps de travailler.

b. Voulez-vous .... bière ? – Non, je préfère .... verre .... eau avec .... sirop de menthe et .... glace.

c. Veux-tu .... plat .... jour ? – Oui, je vais prendre .... gigot avec .... frites et .... salade verte.

d. Vous prendrez .... dessert ? – Non, apportez-moi directement .... café et .... addition !

e. Tu fais .... jogging ? – Non, je ne fais pas .... jogging mais je fais .... danse.

f. Elle joue .... accordéon ? – Non, elle ne joue plus .... accordéon ; maintenant, elle joue .... clarinette.

g. Vous prenez .... parapluie, j'espère ! – Non, je n'aime pas .... parapluies, je préfère mettre .... imperméable.

h. Tu fais .... voyage cet été ? – Non, je n'ai pas .... argent alors je ne prends pas .... vacances cette année.

 Rayez ce qui ne convient pas (parfois plusieurs possibilités).

Exemple : On n'a pas ~~un~~/de/~~du~~ pétrole mais on a ~~les~~/~~d'~~/des idées.

a. Avez-vous une/l'/de l' heure ? – Désolée, je n'ai pas de/de la/une montre.

b. Aimez-vous les/des/d' animaux ? – J'adore des/les/le chats et les/des/de chiens mais je n'ai pas une/de/de la place chez moi.

c. Tu veux le/des/un dessert ? – Volontiers, je vais prendre la/de la/une glace au café.

d. Le/Du/Un réfrigérateur est vide ! Je vais cuisiner une/les/des pâtes.

e. Achète les/des/un fruits, une/de la/la viande et de/du/un fromage mais ne prends pas les/de/des yaourts, il y en a !

f. Tu parles d'/l'/un anglais couramment ? – Oui, j'ai le/un/d' ami en Angleterre ; il a une/la/de la grande maison et il m'invite souvent.

g. Vous aimez une/la/de la musique ? – Oui, j'écoute beaucoup la/de/de la musique classique mais je n'aime pas du/le/de rap.

h. Tu prends le/de/du thé ? – Avec plaisir, mais je ne veux pas de/du/le sucre, ni le/de/du lait.

D. LES ADJECTIFS DÉMONSTRATIFS

Reliez par une flèche les éléments qui correspondent.

Vous désirez ? – Je voudrais voir :

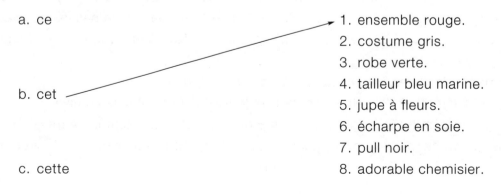

a. ce

b. cet

c. cette

1. ensemble rouge.
2. costume gris.
3. robe verte.
4. tailleur bleu marine.
5. jupe à fleurs.
6. écharpe en soie.
7. pull noir.
8. adorable chemisier.

76 Rayez ce qui ne convient pas.

Exemple : Peux-tu me passer ce/~~cet~~/~~cette~~ disque ?

a. Je peux essayer ce/cet/cette rouge à lèvres ?

b. On aimerait regarder ce/cet/cette émission ce soir.

c. Peux-tu me prêter ce/cet/cette dictionnaire ?

d. J'ai besoin de lire ce/cet/cette article !

e. As-tu envie d'aller voir ce/cet/cette film ?

f. Je ne connais pas ce/cet/cette rue !

g. Il ne se souvient pas de ce/cet/cette événement ?

h. Elle ne comprend pas ce/cet/cette question.

77 Faites des réponses sur le modèle donné en employant *ce, cet, cette* ou *ces*.

Exemple : Avez-vous choisi ?

(chaussures rouges) → Oui, je vais prendre **ces** chaussures rouges.

a. (ceinture en cuir) → ....

b. (pantalon en lin) → ....

c. (paire de boucles d'oreilles) → ....

d. (imperméable beige) → ....

e. (bottes noires) → ....

f. (élégant ensemble blanc) → ....

g. (foulard en coton) → ....

h. (montre en acier) → ....

E. LES ADJECTIFS POSSESSIFS

78 Complétez par *mon, ma* ou *mes*.

Exemples : **mon** chien **ma** maison **mes** fleurs

a. .... bureau

b. .... chaise

c. .... salle de bains

d. .... bibliothèque

e. .... toilettes

f. .... lit

g. .... clés

h. .... chambre

79 Complétez par *mon* ou *ma*.

Exemples : **mon** université **ma** faculté

a .... société

b. .... auberge

c .... école

d. .... entreprise

e. .... agence de voyages

f. .... boutique

g. .... banque

h. .... usine

80 **Complétez par** *ton, ta* **ou** *tes***.**

    Exemple :   Prends-tu ***tes*** appareils photo ?

a. Est-ce que tu suis toujours .... cours d'italien ?

b. Comment est .... professeur d'espagnol ?

c. Qui sont .... nouveaux amis ?

d. Parle-moi des étudiants de .... classe.

e. Je voudrais voir .... livre de grec.

f. Peux-tu me prêter .... feuilles de notes ?

g. Donne-moi .... adresse à la cité universitaire.

h. As-tu fini .... explication de texte pour demain ?

81 **Complétez les phrases suivantes par** *notre, nos, votre* **ou** *vos***.**

    Exemple :   ***Notre*** voiture marche très bien ; nous venons de l'acheter.

a. Comment va .... sœur ? Vous m'avez dit qu'elle était malade.

b. Vous habitez dans le 16ᵉ ? Aimez-vous .... quartier ?

c. J'ai une bonne surprise pour vous : j'ai retrouvé .... gants !

d. Nous n'avons pas de chance : nous venons de rater .... train.

e. En juillet, nous envoyons .... enfants en colonie de vacances.

f. Nous n'avons plus de problèmes : .... banque nous a prêté de l'argent.

g. Pierre, j'aimerais connaître .... parents !

h. Nous étudions la psychologie et .... cours sont passionnants !

82 **Faites des phrases à partir des éléments suivants.**

    Exemple :   Alice – un abonnement SNCF → ***C'est son abonnement SNCF.***

a. mon frère – moto → ....

b. Jacqueline et Jean-Marc – voiture → ....

c. Jacques – tickets de métro → ....

d. Dominique et Joseph – mini-bus → ....

e. Léo et Thomas – billets d'avion → ....

f. Paul et Julie – train → ....

g. Pascale – auto → ....

h. Jean – vélo → ....

83 **Complétez les phrases suivantes par** *leur* **ou** *leurs***.**

    Exemple :   Ses parents sont propriétaires de ***leur*** appartement.

a. Vos voisins ont invité .... amis pour fêter .... anniversaire de mariage.

b. M. et Mme Claude ont le plaisir de vous annoncer la naissance de .... fils Ferdinand.

c. Les voyageurs sont priés de surveiller .... bagages dans les gares.

d. Les familles nombreuses ont des réductions sur .... billets de train.

e. Les clients doivent régler .... achats avant de sortir du magasin.

f. Nathalie et Pierre vont avoir .... premier enfant.

g. Brigitte et Philippe ont déménagé ; ils sont en train d'aménager .... nouvelle maison.

h. Nos amis sont ennuyés : .... filles travaillent mal au collège.

84 Réécrivez ce texte en remplaçant Charlotte par *Charlotte et Pauline* **(deux sœurs jumelles).**

Charlotte vient de fêter ses douze ans. Dans son collège, elle étudie l'anglais. Elle adore son professeur mais elle ne fait pas toujours ses exercices ; alors, ses notes ne sont pas bien bonnes. Sa mère est plutôt sévère et elle interdit à Charlotte de voir ses amies le mercredi. Charlotte passe donc son jour de repos à faire la tête, sans ouvrir son livre d'anglais.

→ **Charlotte et Pauline viennent** de fêter **leurs** douze ans. ....
....
....
....
....
....
....
....

Bilans

85 Complétez ce dialogue par des articles définis, indéfinis, des partitifs, des adjectifs démonstratifs ou des adjectifs possessifs.

– Catherine, nous venons de déménager ; .... **(1)** nouvel appartement est assez grand et nous allons organiser .... **(2)** petite fête avec .... **(3)** amis.

– Voilà .... **(4)** excellente idée ! Est-ce que tu inviteras aussi .... **(5)** sœur ?

– Bien sûr ! J'inviterai aussi .... **(6)** parents et .... **(7)** parents de Julien.

– Quand pensez-vous faire .... **(8)** fête ?

– À .... **(9)** fin d'octobre, peut-être .... **(10)** 25, c'est .... **(11)** samedi.

– C'est très bien pour moi ! Tu sais, j'ai .... **(12)** nouveau copain ; tu l'invites aussi ?

– J'imagine que c'est .... **(13)** charmant garçon et qu'il a beaucoup .... **(14)** qualités ! Évidemment, viens avec .... **(15)** ami. Alors je vais envoyer .... **(16)** cartons d'invitation. Je vais commencer .... **(17)** soir.

– N'oublie pas de donner .... **(18)** indications pour venir chez vous, et .... **(19)** numéro de téléphone.

– Tu as raison. Je vais aller .... **(20)** après-midi à .... **(21)** librairie pour choisir .... **(22)** cartons d'invitation. Je te laisse car j'ai .... **(23)** rendez-vous chez .... **(24)** dentiste à 11 heures. À bientôt.

– À très bientôt !

86 Complétez ce dialogue par des articles définis, indéfinis, des partitifs, des adjectifs démonstratifs ou des adjectifs possessifs.

– Regarde, Frédéric ! C'est .... **(1)** café célèbre. C'est .... **(2)** Café de Flore. .... **(3)** écrivains et .... **(4)** artistes le fréquentent. Tu veux boire .... **(5)** verre à .... **(6)** terrasse ?

– Je veux bien. Nous n'avons pas .... **(7)** chance : il n'y a pas .... **(8)** célébrités aujourd'hui !

– Mais si ! Tu vois .... **(9)** fille là-bas ? C'est .... **(10)** mannequin Lætitia Casta.

– Dommage, elle part déjà. Oh ! Elle oublie .... **(11)** lunettes. Mademoiselle ! Vous oubliez .... **(12)** lunettes.

III. LES PRÉPOSITIONS

C'est au pied du mur qu'on voit le maçon.

A. LE LIEU/LE TEMPS

87 Reliez les éléments pour en faire des phrases.

a. Je dois acheter des livres

b. Nous allons chercher notre enfant

c. Maryse est en train de faire les courses

d. Mon ami s'occupe des visas

e. Je passe prendre mon billet

f. Paul a une chambre

g. Comme d'habitude, je déjeune

h. Dominique prend le métro

au
à l'
à la

1. librairie *Le Divan*.
2. crèche.
3. restaurant *Le Merle*.
4. ambassade.
5. agence de voyages.
6. hôtel *Rive gauche*.
7. supermarché.
8. station Odéon.

88 Rayez les lieux incorrects.

Exemple : Demain, je me promène au bois de Boulogne/~~forêt de Chantilly~~/~~rue de Bièvre~~.

a. Le dimanche, je vais au jardin du Luxembourg/place de la Concorde/hippodrome de Long-champ.

b. Une fois par semaine, ma fille étudie à la laboratoire de langues/bibliothèque/université.

c. Tu viens avec nous lundi à l' Opéra Bastille/Théâtre de la Ville/concert.

d. Je passe toute la journée au musée d'Orsay/Pyramide du Louvre/Orangerie.

e. Mes amis préfèrent aller à l' parc Montsouris/Institut du Monde arabe/Champs-Élysées.

f. Nous allons avec la classe à la Jardin des plantes/tour Eiffel/Arc de triomphe.

g. Ce soir nos voisins vont voir un spectacle au Opéra Garnier/Folies-Bergère/Moulin-Rouge.

h. Mes parents dînent souvent à la Bistrot de la gare/Coupole/Auberge du vieux cygne.

89 Complétez avec *au, à la, à l'* ou *aux*.

Exemple : Nous allons chaque semaine *au* spectacle.

a. Vous dansez .... Folies-Bergère ?

b. Il donne un récital .... salle Pleyel.

c. Mes amis dînent .... Champs-Élysées.

d. On joue une bonne pièce .... Théâtre de la Ville.

e. Elle va .... cinéma tous les mercredis.

f. J'accompagne ma fille .... Galeries Lafayette.

g. J'invite mes parents .... opéra.

h. Viens prendre un verre .... terrasse du café.

90 Associations possibles. Réunissez les différents éléments (plusieurs possibilités).

a. Dominique et Julie se marient   1. consulat égyptien.
b. Mon fils habite   au   2. M. et Mme Gruelle.
c. Il va chercher un visa   à la   3. mairie du 11ᵉ.
d. Elle est conseillère municipale   à l'   4. Halles, près de l'église.
e. Cécile étudie le droit   aux   5. épicier au coin de la rue.
f. Je fais mes courses   chez l'   6. église Saint-Ambroise.
g. Mes voisins emménagent   chez   7. faculté de Bordeaux.
h. Les amis de Jacques chantent   8. 24, boulevard des Italiens.

91 Complétez avec *au, à la, à l', aux* ou *chez*.

Exemple : Vous vivez **à l'**étranger ?

a. Tu peux me raccompagner .... moi ?   b. Elle vient dîner .... maison ?
c. Ce week-end, je pars .... campagne.   d. Il est .... Christine.
e. Nous adorons aller .... Galeries Lafayette.   f. Ils sont nés .... montagne.
g. Pierre reste deux jours .... hôtel.   h. Vous voulez aller .... cinéma ?

92 Soulignez le pays qui convient.

Exemple : Il est professeur au <u>Japon</u> – France.

a. Je suis né en Argentine – Chili.   b. Tes parents vivent au Canada – Suisse.
c. Votre famille habite en Danemark – Suède.   d. Tu voyages en Maroc – Égypte.
e. Elles étudient au Belgique – Luxembourg.   f. Ses amis vont en Brésil – Chine.
g. Mes voisins travaillent au Cameroun – Turquie.   h. Olivier veut aller au Allemagne – Portugal.

93 Choisissez la bonne préposition.

Exemple : Il voudrait habiter ~~au~~/en Équateur.

a. Les appartements sont chers au/en Italie ?   b. Au/En Mexique, les gens parlent espagnol.
c. Nous passons nos vacances au/en Grèce.   d. Au/En Israël, on va visiter Jérusalem.
e. Vous voyagez au/en Corée ?   f. Elles habitent au/en Mozambique.
g. On mange bien au/en Liban ?   h. Il y a des montagnes au/en Irak ?

94 Complétez avec *au, en, aux*.

Exemple : Tu habites **en** Espagne ? – Non, je vis **en** Uruguay.

a. Vous étudiez l'anglais .... États-Unis ? – Non, je suis étudiant .... Angleterre.
b. Tes parents vont .... Mexique ? – Non, ils préfèrent rester .... Pays-Bas.
c. Vos amis arrivent .... Iran samedi ? – Non, ils vont d'abord .... Yémen.
d. Ta famille a une entreprise .... Cambodge ? – Non, c'est une société .... Philippines.

95 | Complétez par *à, au, en, aux*.

Exemple : **À** Avoriaz, il y a le Festival du film fantastique.

a. Le Festival international du film se déroule .... Cannes.

b. La cérémonie des Oscars a lieu .... États-Unis.

c. Il y a un festival de jazz .... Juan-les-Pins.

d. Le Festival international du film de Moscou est célèbre .... Russie.

e. Le Festival du film américain se passe .... Deauville.

f. Le Lion d'or est un grand prix décerné .... Venise.

g. Le Festival du rire se trouve .... Canada.

h. La remise des prix Nobel se passe .... Suède.

96 | **Associations possibles.**

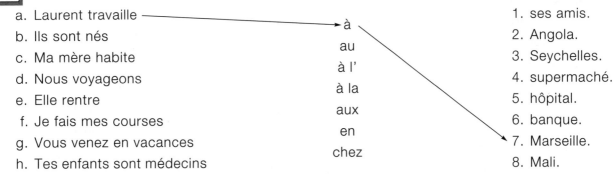

a. Laurent travaille

b. Ils sont nés

c. Ma mère habite

d. Nous voyageons

e. Elle rentre

f. Je fais mes courses

g. Vous venez en vacances

h. Tes enfants sont médecins

à
au
à l'
à la
aux
en
chez

1. ses amis.
2. Angola.
3. Seychelles.
4. supermaché.
5. hôpital.
6. banque.
7. Marseille.
8. Mali.

97 | **Soulignez le pays, la ville ou l'île qui convient.**

Exemple : La cuisine est bonne à – <u>Taïwan</u> – Açores – Sri Lanka.

a. Je passe mes vacances aux Hawaï – Réunion – Antilles.

b. Je préfère retourner à Cuba – Sardaigne – Crète.

c. Nous restons en Madagascar – Porto Rico – Sicile.

d. Elle va au Caire – Tokyo – Caracas.

e. Mes frères sont aux Niger – Soudan – Émirats arabes unis.

f. Vous aimez aller à Baléares – Chypre – Corse.

g. Il fait toujours beau aux Canaries – Madère – Malte.

h. L'hiver dure longtemps à Vancouver – Canada – Finlande.

98 | **Reliez les mots pour faire des phrases.**

Il revient :

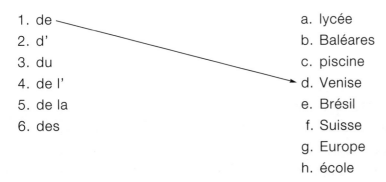

1. de
2. d'
3. du
4. de l'
5. de la
6. des

a. lycée
b. Baléares
c. piscine
d. Venise
e. Brésil
f. Suisse
g. Europe
h. école

99 | Complétez par *de, d', du, de l', de la, des, de chez*.

Exemple : Il rentre : **de l'**office du tourisme ou **de la** poste ?

a. .... agence de voyages ou .... gare ?

b. .... Autriche ou .... Roumanie ?

c. .... bureau ou .... université ?

d. .... Malte ou .... Porto Rico ?

e. .... Réunion ou .... Antilles ?

f. .... le dentiste ou .... le médecin ?

g. .... Birmanie ou .... Égypte ?

h. .... boulangerie ou .... l'épicier ?

100 | Complétez par *à, en, dans, sur, chez, par, de, au*.

Exemple : Attention ! Tu marches **sur** la chaussée.

a. Il habite .... Paris ou .... banlieue ?

b. Il voyage .... province ou .... l'étranger ?

c. Il achète un appartement .... le 8ᵉ arrondissement .... premier étage.

d. Tu préfères habiter .... la mer, ... la montagne ou bien .... la campagne ?

e. Elle passe ses vacances .... la Côte d'Azur ou .... les Pyrénées ?

f. Cette année, tu pars .... Bretagne ou .... le Bordelais ?

g. Je passe toujours .... Lyon quand je reviens .... Marseille.

h. Il travaille .... l'EDF ou .... Renault ?

101 | Choisissez la bonne préposition.

Exemple : Rendez-vous à 19 heures ~~à~~/~~en~~/dans ce café.

a. Le train sur/pour/en Dijon part à 8 h 03.

b. Il se promène sur/pour/dans le quartier Saint-Germain.

c. Le dimanche, il n'y a personne sur/dans/en la rue.

d. Le cinéma, c'est la première rue à/après/par droite.

e. Je passe dans/sous/par les quais de Seine.

f. Mon appartement donne sur/après/de la rue.

g. Vous voyez la boulangerie ? Tournez après/à/pour le magasin.

h. Tu peux mettre les livres en/dans/sur la table ?

102 | Remettez ces phrases dans l'ordre.

Exemple : repose/le/se/Paul/sur/canapé → **Paul se repose sur le canapé.**

a. conduis/ville/ou/en/autoroute/sur/tu ? → ....

b. mer/as/tu/sur/la/vue ? → ....

c. centre-ville/le/quartier/le/est/historique/dans → ....

d. place/mon/je/marché/fais/Berlioz/la/sur → ....

e. Libye/entre/l'/et/Égypte/l'/Algérie/se/trouve/la → ....

f. Lyon/cinq/kilomètres/cents/de/à/Paris/est → ....

g. tu/ce/t'/chaise/assois/la/sur/ou/dans/fauteuil ? → ....

h. l'/Méditerranée/avion/voler/va/au-dessus/de/la → ....

103 **Complétez par** *jusqu'à, à, par, après, avant, dans, sur, pour* **(parfois plusieurs possibilités).**

Exemple : Faites ce travail ***pour/avant*** jeudi.

a. Cette pharmacie est ouverte 24 h .... 24.

b. Ma mère travaille .... mi-temps.

c. J'étudie tous les jours .... 18 h 30.

d. Est-ce que je peux partir .... la fin du cours.

e. .... minuit, il est difficile de dîner au restaurant.

f. Je cours dans la forêt une heure .... jour.

g. Le technicien va passer .... la journée.

h. Elle part .... un mois en Australie.

104 **Associations possibles.**

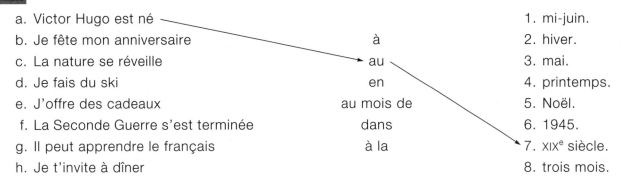

a. Victor Hugo est né		1. mi-juin.
b. Je fête mon anniversaire	à	2. hiver.
c. La nature se réveille	au	3. mai.
d. Je fais du ski	en	4. printemps.
e. J'offre des cadeaux	au mois de	5. Noël.
f. La Seconde Guerre s'est terminée	dans	6. 1945.
g. Il peut apprendre le français	à la	7. XIX\ :sup:`e` siècle.
h. Je t'invite à dîner		8. trois mois.

105 **Choisissez la bonne préposition et retrouvez ces proverbes français.**

Exemple : À/~~Dans~~ la Chandeleur, l'hiver se passe ou prend vigueur.

a. Rome ne s'est pas faite dans/en un jour.

b. À/En mai, fais ce qu'il te plaît.

c. Sur/Avant l'heure, ce n'est pas l'heure.

d. Par/En avril, ne te découvre pas d'un fil.

e. Après/Dans l'heure, ce n'est plus l'heure.

f. À/En la Sainte-Catherine, tout prend racine.

g. Sur/Après la pluie, le beau temps.

h. Mettre la charrue avant/par les bœufs.

B. CARACTÉRISATION

106 Associations possibles.

a. une boîte		1. confiture
b. un verre		2. lait
c. un pot		3. conserves
d. un bol	de	4. eau
e. une cuiller	d'	5. sirop
f. une coupe		6. bonbons
g. une bouteille		7. huile
h. un paquet		8. champagne

107 Reliez les différents éléments.

a. un flacon		1. écrire
b. une assiette		2. soupe
c. une machine	à	3. parfum
d. une barquette	d'	4. dentifrice
e. un tube	de	5. classe
f. une lampe		6. fraises
g. une salle		7. huile
h. un fer		8. repasser

108 Rayez ce qui ne convient pas.

Exemple : une brosse de/à cheveux

a. une maison de/à campagne　　　　b. un champ de/à courses

c. une machine de/à laver　　　　　　d. une salle de/à manger

e. une chambre d'/à hôtel　　　　　　f. un cours de/à français

g. un gâteau de/à riz　　　　　　　　h. une boîte de/à musique

109 Trouvez la bonne utilité ou le bon contenu de ces objets. Rayez ce qui ne convient pas (parfois plusieurs possibilités).

Exemple : une carafe d'eau/à fruits/à vin

a. une corbeille à pain/de fleurs/à pizza　　b. une tasse de dentifrice/à café/de chocolat

c. un verre à vin/à parfum/d'eau　　　　　　d. une boîte à huile/à thé/de gâteaux

e. une cuiller à soupe/de salade/de vinaigre　f. un plateau de fruits de mer/à fromage/d'eau

g. une assiette à café/à dessert/de pâtes　　h. un seau à champagne/de confiture/de sable

110 Complétez par *de, du, de l', de la, des*.

Exemple : Les informations *de la* presse sont bonnes.

a. La météo .... après-midi est mauvaise.

b. Le programme .... télévision ne me plaît pas.

c. La publicité .... journal est en couleurs.

d. Je lis l'horoscope .... semaine.

e. Je regarde les photos .... magazine.

f. Je cherche la page .... mots croisés.

g. J'adore le dernier livre .... Claude Simon.

h. J'ai regardé la nouvelle émission .... Bernard Rapp.

C. VERBES + PRÉPOSITIONS

111 Complétez si nécessaire par *de*.

Exemples : Je propose **de** regarder le Tour de France.

Je déteste courir.

a. J'aime .... skier en Haute-Savoie.

b. Alice a peur .... sauter en parachute ?

c. Tu espères .... gagner la course ?

d. Julien préfère .... regarder le match à la télévision.

e. Les enfants acceptent .... pratiquer un sport.

f. Vous désirez .... nager ?

g. Tu as envie .... voir la finale ?

h. Les footballeurs ont fini .... jouer ?

112 Rayez la préposition inutile.

Exemple : Ce livre est facile ~~de~~/à lire.

a. C'est difficile de/à bien connaître un pays.

b. Il est impossible de/à visiter tous les monuments.

c. Les gens sont difficiles de/à rencontrer dans les capitales.

d. Elle porte un nom impossible de/à prononcer.

e. Les Parisiennes sont agréables de/à regarder.

f. Il est dangereux de/à rentrer seul la nuit.

g. C'est agréable de/à se promener sur les Champs-Élysées.

h. Ce musée est intéressant de/à voir.

113 Complétez par *à* si c'est nécessaire.

Exemples : Marie arrive **à** parler quatre langues.

Vous pouvez obtenir un diplôme.

a. J'apprends .... parler l'italien.

b. Elle doit .... s'inscrire à l'université.

c. Mon voisin a réussi .... étudier le chinois en Chine.

d. Olivier veut .... suivre des cours à la faculté.

e. Ses enfants continuent .... enseigner en Europe.

f. Tu aides ton frère .... corriger son exercice ?

g. Invite ton professeur .... déjeuner !

h. Pense .... faire tes devoirs !

114 Soulignez le sport, l'instrument de musique ou le jeu qui convient.

Exemple : Ma mère joue du guitare – basket – <u>violon</u>.

a. Son mari joue au tennis – piano – flûte.

b. Tu veux jouer aux échecs – loto – football.

c. Elle sait jouer de la trompette – cartes – ballon.

d. Les enfants jouent à la dés – balle – clarinette.

e. Dominique joue du handball – judo – saxophone.

f. Tu devrais jouer des dames – castagnettes – rugby.

g. C'est amusant de jouer au billard – boules – batterie.

h. J'aimerais jouer de l' harmonica – violoncelle – dominos.

115 *À, de* ou *d'*. Complétez si nécessaire.

Exemple : Tu écris **à** ta sœur ?

a. Nous cherchons .... notre fille Claire.

b. Tu as besoin .... un livre ?

c. J'aide .... ma mère le week-end.

d. Demande .... ton professeur !

e. Elle donne .... le cadeau .... son ami.

f. Remerciez .... votre ami pour sa gentillesse !

g. J'ai envie .... un gâteau à la crème.

h. Il s'occupe .... ses enfants le soir ?

116 Faites des phrases en utilisant une préposition si nécessaire.

Exemple : tu – attendre – le prochain train → **Tu attends le prochain train.**

a. tu – téléphoner – l'agence de voyages → ....

b. il – savoir – parler anglais → ....

c. je – rêver – partir en vacances → ....

d. vous – rendre visite – Monsieur Roland → ....

e. elle – essayer – la robe blanche → ....

f. nous – parler – l'exposition Cézanne → ....

g. on – penser – les enfants → ....

h. je – aller – prendre une baguette → ....

Bilans

117 | Complétez par une préposition si nécessaire.

La cliente : *Bonjour monsieur, je voudrais des renseignements sur vos voyages organisés.*

L'employé : *Bien sûr. Vous voulez rester .... (1) Canada ?*

La cliente : *Non, j'aimerais .... (2) voir autre chose. L'Europe, par exemple.*

L'employé : *Vous voulez aller où ? .... (3) France ? .... (4) Suisse ? Vous connaissez .... (5) l'Italie ?*

La cliente : *Non, mais je rêve .... (6) ces pays !*

L'employé : *Vous désirez .... (7) aller .... (8) la mer ou .... (9) la montagne ?*

La cliente : *Les deux si possible.*

L'employé : *Dans ce cas, je vous propose .... (10) faire un voyage .... (11) Autriche parce que vous passez .... (12) la Suisse, c'est un beau pays montagneux, et puis vous avez un très beau circuit .... (13) Autriche où vous visitez .... (14) plusieurs régions magnifiques. Pour finir, vous rentrez .... (15) l'Italie. Tenez, voici une brochure.*

La cliente : *Je préfère .... (16) aller .... (17) Europe .... (18) printemps. Qu'en pensez-vous ?*

L'employé : *......... (19) printemps ou .... (20) été, c'est effectivement fort agréable.*

La cliente : *Je séjourne .... (21) Vienne, n'est-ce pas ?*

L'employé : *Naturellement.*

La cliente : *Il y a des départs .... (22) mai ou bien .... (23) août ?*

L'employé : *Un instant ; je demande .... (24) mon collègue. Pas de problème, madame.*

La cliente : *Bien, alors je repasserai .... (25) quinze jours pour réserver deux billets .... (26) avion. Merci. Ah ! Une dernière chose : votre agence .... (27) voyages ferme à quelle heure ?*

L'employé : *......... (28) 19 heures, madame.*

La cliente : *Merci encore. Au revoir.*

118 | Complétez, si nécessaire, par une préposition les verbes suivants.

Depuis que ma cousine est tombée amoureuse .... (1) un garçon, elle est totalement différente. Elle sourit .... (2) tout le monde. Elle écrit .... (3) sa meilleure amie une fois par jour. Elle téléphone .... (4) ses parents tous les soirs. Elle parle .... (5) sa voisine pendant des heures. Elle veut .... (6) travailler pour une autre banque. Elle s'intéresse .... (7) sport. Elle croit .... (8) astrologie. Elle joue .... (9) loto. Elle a besoin .... (10) sortir le week-end. Elle a envie .... (11) voyager. Elle adore .... (12) cuisiner. Elle apprend .... (13) conduire une moto. Bien sûr, elle nous parle .... (14) son fiancé chaque jour et elle espère .... (15) se marier bientôt !

IV. LE PRÉSENT DE L'INDICATIF

Les paroles s'en vont, les écrits restent.

A. AVOIR – ÊTRE

119 Associez les pronoms au reste de la phrase (parfois plusieurs possibilités).

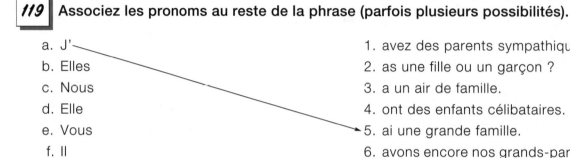

a. J'
b. Elles
c. Nous
d. Elle
e. Vous
f. Il
g. Ils
h. Tu

1. avez des parents sympathiques.
2. as une fille ou un garçon ?
3. a un air de famille.
4. ont des enfants célibataires.
5. ai une grande famille.
6. avons encore nos grands-parents.
7. a un bébé de six mois.
8. a une sœur jumelle.

120 Choisissez la forme verbale correcte.

Exemple : Elle ai/a/as un petit ami.

a. Mes voisins avons/ai/ont une belle maison.
b. Dominique avez/a/ai 35 ans cette année.
c. J' as/ont/ai beaucoup de travail.
d. Il a/as/ont mal à la tête.
e. On avons/a/avez faim.
f. Vous as/avez/avons rendez-vous ?
g. Tu a/ai/as envie de manger ?
h. Nous avons/avez/ont des invités ce soir.

121 Complétez ces expressions françaises par le pronom qui convient (parfois plusieurs possibilités).

Exemple : **Il/Elle/On** a un appétit d'oiseau.

a. .... a un cheveu sur la langue.
b. .... ont un chat dans la gorge.
c. .... ai une taille de guêpe.
d. .... as une langue de vipère.
e. .... a un caractère de cochon.
f. .... avez un œil de lynx.
g. .... ont une mémoire d'éléphant.
h. .... avons une faim de loup.

122 Complétez par la forme convenable du verbe *avoir*.

Exemple : Il *a* le temps de manger ?

a. Vous .... la monnaie de 5 euros ?   b. Tu .... l'air fatigué.

c. Nous .... les places 26 et 27.   d. On .... l'habitude du froid.

e. Ils .... une nouvelle adresse.   f. J' .... du mal à comprendre.

g. Elle .... raison de partir.   h. Elles .... de la chance.

123 Complétez par le verbe *être* au présent.

Exemple : Il *est* absent.

a. Nous .... enchantés de vous connaître.   b. L'hôtel .... complet.

c. Je .... vraiment désolé.   d. Elle .... folle de joie.

e. Vous .... en vacances ?   f. Tu .... marié ?

g. Les voisins .... tristes de partir.   h. On n'........... pas en retard.

124 Associez les éléments pour faire des phrases (parfois plusieurs possibilités).

a. Laurent   1. sont en Sicile.

b. Tu   2. sommes d'accord.

c. Les enfants   3. es en avance.

d. Pascal et moi   4. suis fatiguée.

e. Ils   5. est musicienne.

f. Je   6. est obligés de partir.

g. Ma famille   7. est avocat.

h. On   8. sont au téléphone.

125 Retrouvez ces expressions.

Exemple : Je *suis* laid comme un pou.

a. Vous .... têtu comme une mule.   b. Pierre .... fier comme un coq.

c. Elle .... rouge comme une tomate.   d. Je .... sale comme un cochon.

e. Tu .... malin comme un singe.   f. Je .... doux comme un agneau.

g. Vous .... fidèle comme un chien.   h. Tu .... fort comme un bœuf.

126 Complétez par *ai, es, est*.

Exemple : L'ordinateur *est* dans le bureau.

a. Il .... 1 heure du matin.   b. J' .... rendez-vous avec M. Roy.

c. Pierre, tu .... de mon avis ?   d. Moi aussi, j' .... une bonne nouvelle !

e. Mme Léger .... chez sa fille.   f. Ton ami n' .... pas sympathique.

g. Elle .... prête dans trois minutes.   h. Tu .... fort en mathématiques.

127 Rayez ce qui est inutile.

Exemple : Les informations ~~ont~~/sont intéressantes.

a. Les médias ont/sont de nouvelles informations à communiquer.

b. Les magazines ont/sont souvent en couleurs.

c. Les journaux ont/sont des difficultés financières.

d. Les chaînes de télévision ont/sont publiques ou privées.

e. Les radios privées ont/sont trop nombreuses.

f. Les journalistes ont/sont un métier passionnant.

g. Les journaux télévisés ont/sont une grande écoute.

h. Les flashes d'information ont/sont très fréquents.

128 **Complétez les titres de ces chansons françaises par** *être* **ou** *avoir*.

Exemple : Il n'y **a** plus d'après. (*Juliette Gréco*)

a. Il .... libre Max. (*Hervé Cristiani*)

b. Vous .... jolie. (*Charles Trenet*)

c. L'amour .... un bouquet de violettes. (*Luis Mariano*)

d. J' .... deux amours. (*Joséphine Baker*)

e. Le soleil .... rendez-vous avec la lune. (*Charles Trenet*)

f. J' .... rendez-vous avec vous. (*Georges Brassens*)

g. Quand tu n' .... pas là. (*Gilbert Bécaud*)

h. Je .... malade. (*Serge Lama*)

129 **Complétez les phrases avec les verbes suivants :** *avoir besoin, avoir mal, avoir peur, avoir envie,* **être et** *avoir*.

Exemple : Vous vous levez à 5 h 30 ; vous **êtes** matinale.

a. Il est minuit, je suis fatigué : j' .... sommeil.

b. Pour aller aux États-Unis, tu .... d'un visa.

c. Ma collègue arrive toujours à l'heure. Elle .... ponctuelle.

d. Le bébé pleure. Il .... de manger.

e. Nous arrivons à midi juste. Nous .... à l'heure.

f. Mes enfants n'aiment pas l'obscurité. Ils .... du noir.

g. Il fait froid : nous .... à la gorge.

h. Ses amis vivent seuls ; ils .... célibataires.

130 **Transformez selon le modèle.**

Exemple : Le Futuroscope se trouve à Poitiers. → **À Poitiers, il y a le Futuroscope.**

a. Le Parc d'attractions Astérix est en banlieue parisienne.

→ ....

b. L'exposition Cézanne a lieu au Grand Palais.

→ ....

c. Le Festival de la bande dessinée est à Angoulême.

→ ....

d. Johnny Halliday est à Bercy cet hiver.

→ ....

e. La boutique Chanel se trouve avenue Montaigne.

→ ....

f. De nombreux touristes italiens viennent à Paris.

→ ....

g. Beaucoup d'ambassades sont dans les beaux quartiers.

→ ....

h. Les Champs-Élysées se trouvent dans le 8ᵉ arrondissement.

→ ....

131 *C'est, il est*. **Complétez.**

Exemple : Regarde ! *C'est* Gérard Depardieu. *Il est* vraiment grand.

a. .... écrivain. .... un très grand artiste.

b. .... mon professeur. .... australien.

c. .... dentiste. .... un homme exceptionnel.

d. .... mon ami. .... musulman.

e. .... Lætitia Casta. .... un mannequin français.

f. .... ton voisin. .... célibataire ?

g. .... Jacqueline. .... la mère de mon ami.

h. .... notre médecin. .... très compétent.

132 **Rayez ce qui ne convient pas.**

Exemple : C'est de la musique/~~musicien~~ classique.

a. Demain c'est lundi/beau.

b. Il est minuit/Paul.

c. Il est un frère/chanteur.

d. C'est étudiant/un bon professeur.

e. C'est Laurent/photographe.

f. Il est un étudiant/médecin généraliste.

g. C'est une élève intelligente/catholique.

h. Il est un beau spectacle/magnifique.

133 *C'est, il est, ce sont, ils sont*. **Complétez.**

Exemple : *C'est* une nouvelle exposition sur les impressionnistes.

a. .... des tableaux du XIXᵉ siècle.

b. .... tous très beaux.

c. .... un siècle particulièrement riche en peinture.

d. .... les toiles de Monet, Manet et Renoir.

e. .... un style remarquable.

f. J'adore ce tableau, ... splendide.

g. .... des peintres renommés.

h. .... célèbres pour la lumière de leurs tableaux.

134 Faites des phrases selon le modèle.

Exemple : le Parnasse – mont célèbre

→ *En Grèce, il y a le Parnasse ; c'est un mont célèbre.*

a. la Cordillère des Andes – chaîne de montagnes

→ En Amérique latine, ...

b. le Saint-Laurent – long fleuve

→ Au Canada, ...

c. l'Amazonie – forêt immense

→ Au Brésil, ...

d. l'Everest – grand sommet

→ Au Népal, ...

e. le Vésuve – volcan actif

→ En Italie, ...

f. le Sahara – désert important

→ En Afrique du Nord, ...

g. la Corse – île méditerranéenne

→ En France, ...

h. la Laponie – région finlandaise

→ Au pôle Nord, ...

B. LES VERBES EN -ER

135 Associez les pronoms et les verbes au présent de l'indicatif (parfois plusieurs possibilités).

a. Elles	1. regarde un film.
b. Nous	2. écoutez une cassette.
c. Il	3. parlent français.
d. Tu	4. habites en France.
e. Elle	5. déjeunons à 1 heure.
f. Ils	6. arrive ce soir.
g. Vous	7. étudient en Europe.
h. Je	8. reste à la maison.

136 Complétez par le pronom qui convient (parfois plusieurs possibilités).

Exemple : **Je/Il/Elle/On** téléphone souvent.

a. .... travaillons à Lyon.

b. .... habitent au deuxième étage.

c. .... prépare le repas.

d. .... racontez vos vacances.

e. .... montres tes photos.

f. .... visite la ville.

g. .... cherchons un appartement.

h. .... répétez encore une fois.

137 Soulignez la forme verbale qui convient.

Exemple : Elle passes – passent – <u>passe</u> ses vacances avec toi.

a. Ils détestes – détestent – déteste la montagne.

b. Tu adore – adores – adorent la campagne.

c. Nous préférons – préférez – préfère le club de vacances.

d. Vous aimez – aiment – aimes beaucoup les voyages.

e. Je skie – skies – skient trois heures par jour.

f. Il rencontres – rencontrent – rencontre des touristes.

g. Elle voyage – voyages – voyagent en avion.

h. On bronze – bronzent – bronzes vite sur la plage.

138 Complétez avec les verbes entre parenthèses.

Exemple : Elle *copie* (copier) toutes les fiches sur disquette ?

a. Vous .... (ranger) le dossier Bayard ?

b. Tu .... (photocopier) les documents ?

c. Je .... (faxer) à la société Pradel ?

d. Nous .... (classer) les factures ?

e. Vous .... (utiliser) l'ordinateur ?

f. Le directeur .... (présenter) M. Léger, des magasins Bouchard.

g. Olivier .... (laisser) un message sur le répondeur.

h. Mon collègue .... (téléphoner) au service « Clientèle ».

139 Répondez personnellement à cette enquête sur les goûts.

Exemple : D'habitude, vous écoutez de la musique classique, du jazz, de la techno ?

→ *J'écoute de l'opéra*.

a. En général, vous regardez des films policiers, d'horreur ou d'aventure ?

→ ....

b. Normalement, vous mangez plutôt de la cuisine chinoise, italienne ou française ?

→ ....

c. En général, vous préférez le vin rouge, le blanc ou le rosé ?

→ ....

d. En vacances, vous pratiquez un sport collectif ou individuel ?

→ ....

e. Le samedi soir, vous invitez des amis chez vous ou vous dînez à l'extérieur ?

→ ....

f. Vous passez votre dimanche en famille, seul ou chez des amis ?

→ ....

g. L'été, vous portez généralement des pantalons, des shorts ou des jupes ?

→ ....

h. En général, vous fêtez Noël en ville, à la campagne ou bien à la montagne ?

→ ....

140 Complétez avec les terminaisons manquantes.

Exemple : Nous travaill**ons** 35 heures par semaine.

a. Mes collègues et moi déjeun...... à 13 heures.

b. Dominique arriv...... au bureau à 8 h 45.

c. Les employés termin...... leur travail à 18 heures.

d. Le président d'IBM dirig...... une entreprise de 18 000 salariés.

e. Les professeurs demand...... une augmentation de salaire.

 f. Le personnel administratif appréci...... son nouveau directeur.

g. Vous appel...... tout de suite le chef du personnel.

h. Pierre, tu engag...... deux jeunes pour l'été ?

141 Transformez les phrases selon le modèle.

Exemple : Corrigez les fautes ! → Entendu, *nous corrigeons* les fautes.

a. Rangez les livres !

→ D'accord, ...

b. Recommencez l'exercice !

→ Entendu, ...

c. Changez de place !

→ Bien, ...

d. Déplacez l'ordinateur !

→ Pourquoi pas ! ....

e. Partagez le travail !

→ Excellente idée, ...

 f. Prononcez plus clairement !

→ O.K, ...

g. Remplacez le matériel !

→ Bonne idée, ...

h. Engagez des professeurs !

→ Entendu, ...

142 Complétez avec les verbes entre parenthèses.

Exemple : Jeanne *essaie* de comprendre, son frère et moi *essayons* de traduire. (essayer)

a. Moi, j' .... le dessert et vous, vous .... la boisson. (acheter)

b. Nous, nous .... l'hôpital et toi, tu .... le médecin. (appeler)

c. Pierre, tu .... par carte ; nous, nous .... en espèces. (payer)

d. Les enfants, vous .... les assiettes et papa .... les verres. (essuyer)

e. Je ne .... jamais les vieux journaux, mais Jacques et toi .... les magazines. (jeter)

 f. Nous .... des cartes de vœux à Noël mais personnellement, je n' .... jamais de cartes d'anniversaire. (envoyer)

g. Ma sœur .... aller au cinéma seule ; Laurent et moi .... y aller ensemble. (préférer)

h. Moi, j' .... le mot « maire », et vous, vous .... le mot « mère ». (épeler)

C. LES VERBES EN -IR

143 Soulignez les verbes qui ne se terminent pas par *-issons, -issez, -issent* **au pluriel.**

Exemple : servir : ***nous servons, vous servez, ils servent***.

avertir – <u>servir</u> – garantir – établir – dormir – cueillir – sortir – applaudir – offrir – finir – raccourcir – devenir – découvrir – atterrir – réunir – rougir – venir – courir – ouvrir – agir – tenir – adoucir – partir – mourir

144 Rayez le pronom incorrect.

Exemple : ~~Elle~~/Ils réfléchissent au problème ?

a. Il/Ils franchit la ligne d'arrivée.

b. J'/Vous applaudissez rarement !

c. Tu/Vous affranchis l'enveloppe à 0,46 euros.

d. Elle/Elles approfondissent le sujet.

e. Nous/On finissons à 18 heures.

f. Je/Il ralentis sous la pluie.

g. Vous/Nous choisissons le menu.

h. Tu/On atterrit dans quinze minutes.

145 Tutoyez ! Remplacez *vous* **par** *tu*.

Exemple : Vous dormez peu ou beaucoup ? → ***Tu dors*** peu ou beaucoup ?

a. Vous servez le fromage ou le dessert ? → ....

b. Vous partez en train ou en avion ? → ....

c. Vous sentez *Opium* ou *Paris* d'Yves Saint-Laurent ? → ....

d. Vous sortez vendredi ou samedi soir ? → ....

e. Vous courez au bois de Vincennes ou en ville ? → ....

f. Vous ouvrez la porte ou la fenêtre ? → ....

g. Vous venez de Corée ou de Thaïlande ? → ....

h. Vous offrez des chocolats ou des fleurs ? → ....

146 Mettez les verbes au présent.

Exemple : Dans les squares, les roses ***fleurissent*** (fleurir) et les arbres ***verdissent*** (verdir).

a. Les pigeons .... (envahir) les villes et .... (salir) les monuments.

b. Votre quartier .... (embellir) d'année en année et .... (devenir) très agréable.

c. Les bureaux .... (ouvrir) à 9 heures et les employés .... (finir) à 18 heures.

d. Les immeubles du centre-ville .... (noircir) et la mairie ne .... (réagir) pas.

e. Les ouvriers .... (élargir) la rue et .... (recouvrir) la chaussée de goudron.

f. Les jours .... (raccourcir) en hiver et la lumière .... (pâlir).

g. Mon frère .... (découvrir) son nouvel arrondissement et .... (sortir) chaque soir.

h. En été, les fruits .... (mûrir) et nous les .... (cueillir) en septembre.

147 Reliez les différents éléments (parfois plusieurs possibilités).

a. Mon voisin   1. obéissez à ses ordres ?

b. Vous   2. part travailler en Afrique.

c. Claire et moi   3. tiennent un restaurant.

d. Tes parents   4. réunis tout le personnel.

e. Son fils   5. viennent à Paris ?

f. Les amis d'Anne   6. ne court jamais.

g. Je   7. grossissons facilement.

h. M. et Mme Léger   8. devenez riche.

D. LES VERBES EN *-RE* ET *-OIR*

148 Soulignez les verbes qui se conjuguent avec trois radicaux.

Exemple :   prendre : **je prends, nous prenons, ils prennent**.

écrire – mettre – répondre – <u>prendre</u> – traduire – devoir – entendre – recevoir – voir – construire – lire – inscrire – connaître – pouvoir – attendre – boire – savoir – vendre – vouloir – plaire – décevoir – naître – vivre – battre – prévoir

149 Associez les pronoms au reste de la phrase (parfois plusieurs possibilités).

a. Je   1. répondons aux questions.

b. Vous   2. mets la table.

c. Ils   3. vois la voiture, là-bas ?

d. On   4. lit le journal.

e. Nous   5. promettons de venir.

f. Elle   6. élisent le représentant des élèves.

g. Tu   7. croyez François ?

h. Elles   8. vends la maison.

150 Répondez aux questions suivantes.

Exemple :   Vous connaissez l'italien ? – Non, je **connais** l'espagnol.

a. Vous lisez *Le Nouvel Observateur* ? – Non, je .... *L'Express.*

b. Vous conduisez une Citroën ? – Non, je .... une Renault.

c. Vous suivez un cours de danse ? – Non, je .... un cours de chant.

d. Vous mettez une heure pour venir ? – Non, je .... une demi-heure.

e. Vous peignez la chambre ? – Non, je .... la cuisine.

f. Vous inscrivez votre enfant ? – Non, j' .... mon neveu.

g. Vous voyez Patrick ce soir ? – Non, je .... Claude.

h. Vous perdez votre argent ? – Non, je .... mon temps.

151 Complétez les phrases avec le verbe entre parenthèses.

> *Exemple :* Je *joins* le directeur et vous *joignez* le chef du personnel. (joindre)

a. Dans la classe, les élèves .... la sonnerie mais le professeur ne l' ....
pas. (entendre)

b. Habituellement, j' .... l'ordinateur à 18 heures, mes collègues l' ....
plus tôt. (éteindre)

c. La directrice .... ce logiciel, mais les secrétaires ne le .... pas.
(connaître)

d. Les employés de l'ambassade .... les documents et moi je .... le courrier. (traduire)

e. Les ouvriers .... près de l'usine et leur patron .... à la campagne. (vivre)

f. Les météorologues .... de la pluie mais moi je .... du soleil. (prévoir)

g. Mes enfants .... chanter, mais mon mari ne .... pas. (savoir)

h. Je .... la région et vous .... les monuments. (décrire)

152 Mettez les verbes au présent.

> *Exemple :* Je regrette, ils *doivent* (devoir) rentrer tôt.

a. Je .... (prendre) un dessert.

b. Les enfants .... (boire) un chocolat chaud.

c. Mon mari et moi .... (vouloir) la carte, s'il vous plaît.

d. Qu'est-ce que vous .... (prendre) ?

e. Est-ce que je .... (pouvoir) régler, s'il vous plaît ?

f. Nous .... (recevoir) des amis ce soir.

g. Les voisins .... (venir) dîner à la maison.

h. Désolé, nous .... (devoir) déjeuner chez mes parents.

153 *Pouvoir, vouloir, devoir.* **Complétez ce dialogue et conjuguez ces verbes.**

– Est-ce que je .... (a) vous aider ?

– Oui, je .... (b) un téléphone portable.

– Bien sûr. Vous .... (c) me suivre ?

– Voici tous nos téléphones portables.

– Ma femme et moi .... (d) téléphoner très souvent pour notre travail. Nous
.... (e) l'essayer ?

– Certainement. Nos clients .... (f) toujours faire un essai.

– Celui-ci est très bien. Vous .... (g) l'utiliser quand vous .... (h) et où vous
.... (i).

– Parfait. Je vous .... (j) combien ?

154 Du singulier au pluriel.

> *Exemple :* Je reçois des coups de fil. → Ils *reçoivent* des coups de fil.

a. Tu bois un café. → Nous ....

b. Il prend l'avion à 18 heures. → Ils ....

c. Elle peut payer par carte ? → Elles ....

d. Tu reçois des lettres. → Vous ....

e. Je dois partir. → Ils ....

f. Il vient à pied. → Nous ....

g. Tu veux ce livre. → Elles ....

h. Elle boit aussi du vin. → Elles ....

E. TOUS TYPES DE VERBES

155 Reliez les éléments pour en faire des phrases (parfois plusieurs possibilités).

a. Elles	vais	1. aux États-Unis.
b. Sophie	dites	2. en retard.
c. Il	sommes	3. de froid.
d. Dominique	revient	4. François ?
e. Vous	t'appelles	5. les valises.
f. Nous	font	6. « merci ».
g. Je	meurt	7. du Congo.
h. Tu	croit	8. aux fantômes.

156 Complétez les phrases et retrouvez ces expressions et proverbes français.

> *Exemple :* Vous *faites* (faire) toujours la tête.

a. Je .... (jeter) l'argent par la fenêtre.

b. Mon mari .... (prendre) toujours le taureau par les cornes.

c. On .... (lever) le coude.

d. Paul .... (mettre) de l'eau dans son vin.

e. La vérité .... (sortir) de la bouche des enfants.

f. Mes parents .... (payer) rubis sur l'ongle.

g. Tu .... (vendre) la mèche ?

h. Tous les chemins .... (mener) à Rome.

157 Rayez la forme verbale incorrecte et retrouvez les titres de ces films français.

> *Exemple :* Il ~~es~~/est minuit docteur Schweitzer. (*André Haguet*)

a. On vit/vis une époque formidable. (*Gérard Jugnot*)

b. Le jour se lève/lèves. (*Marcel Carné*)

c. Nous êtes/sommes tous des assassins. (*André Cayatte*)

d. Tous les garçons s'appellent/appelles Patrick. (*Jean-Luc Godard*)

e. Je savent/sais rien mais je dirai tout. (*Pierre Richard*)

f. Paris brûle/brûles-t-il ? (*René Clément*)

g. L'année prochaine si tout va/vont bien. (*Jean-Loup Hubert*)

h. Les bronzés faites/font du ski. (*Patrice Leconte*)

158 Rayez le pronom qui ne convient pas et retrouvez ces chansons françaises.

Exemple : Nous/Il me dit que je/tu suis belle. (*Patricia Kaas*)

a. Vous/Ils oubliez votre cheval. (*Charles Trenet*)

b. À quoi il/tu sers ? (*Jean-Jacques Goldman*)

c. Elle/Elles écoute pousser les fleurs. (*Francis Cabrel*)

d. Et si je/tu m'en vais. (*Étienne Daho*)

e. Je/Tu suis sous. (*Claude Nougaro*)

f. J'/On ai rendez-vous avec vous. (*Georges Brassens*)

g. Vous/Je dors avec elle. (*Julien Clerc*)

h. Il/Nous pleut dans ma chambre. (*Charles Trenet*)

159 Retrouvez les infinitifs des verbes conjugués.

Exemple : Je cueille quelques fruits. → *cueillir*

a. Vous paraissez très préoccupée. → ....

b. Nous écrivons à notre père. → ....

c. Est-ce qu'elle attend depuis longtemps ? → ....

d. Ils mentent de plus en plus. → ....

e. Qu'est-ce que tu préfères ? → ....

f. Les magasins ouvrent à quelle heure ? → ....

g. Les enfants promettent de rentrer tôt. → ....

h. Ces fleurs sentent bon. → ....

160 Tutoyez ou vouvoyez.

Exemples : Tu vois la fille, là-bas ? → *Vous voyez* la fille, là-bas ?

Vous finissez le gâteau ? → *Tu finis* le gâteau ?

a. Vous étudiez les langues ? → ....

b. Tu remplis les papiers ? → ....

c. Tu dois partir à l'heure ? → ....

d. Vous allez au concert ? → ....

e. Vous pouvez me donner du feu ? → ....

f. Tu dis au revoir aux voisins ? → ....

g. Tu fais la cuisine ? → ....

h. Vous craignez l'orage ? → ....

161 Répondez aux questions suivantes.

Exemple : Le matin, partez-vous le premier de chez vous ? → Oui, *je pars* le premier de chez moi.

a. Êtes-vous propriétaire de votre logement ?

→ Oui, ...

b. Rendez-vous service à vos voisins ?

→ Oui, ...

c. Prenez-vous l'ascenseur pour monter chez vous ?

→ Oui, ...

d. Habitez-vous dans une grande ville ?

→ Oui, ...

e. Faites-vous les courses dans votre quartier ?

→ Oui, ...

f. Connaissez-vous vos voisins ?

→ Oui, ...

g. Vivez-vous seul dans votre appartement ?

→ Oui, ...

h. Allez-vous chez vos voisins quand ils font du bruit ?

→ Oui, ...

162 | **Du pluriel au singulier.**

Exemple : Vous mourez de fatigue ? → **Tu meurs** de fatigue ?

a. Ils souffrent des dents. → ....

b. Nous restons au lit. → ....

c. Elles ne connaissent pas ce médicament. → ....

d. Vous toussez beaucoup ? → ....

e. Ils n'ont pas bonne mine. → ....

f. Vous suivez un traitement. → ....

g. Ils se sentent mal. → ....

h. Nous devons prendre rendez-vous chez le médecin. → ....

163 | **Complétez par un verbe conjugué ou à l'infinitif.**

Exemple : Pour le cocktail, je **mets** (mettre) mon smoking.

a. Cet été, les jupes .... (raccourcir).

b. Ces boucles d'oreilles .... (aller) très bien avec mon tailleur.

c. Cette robe longue .... (allonger) ta silhouette.

d. Le noir .... (amincir) les personnes un peu fortes.

e. L'hiver, nous .... (grossir) toujours d'un kilo.

f. Ils ne .... (pouvoir) pas .... (porter) ces cravates ridicules.

g. Malheureusement, je .... (devoir) .... (élargir) ce pantalon.

h. Je n'ai pas de chance : mes pulls .... (rétrécir) toujours au lavage.

164 | **Du singulier au pluriel.**

Exemple : Tu joues au tennis ? → **Vous jouez** au tennis ?

a. Je ne pratique pas de sport. → ....

b. Elle fait du ski nautique. → ....

c. Tu aimes les sports d'équipe ? → ....

d. Il boxe depuis longtemps ? → ....

e. Elle prend des cours de danse. → ....

f. Tu cours tous les jours ? → ....

g. Je nage depuis l'âge de 5 ans. → ....

h. Tu sais jouer au golf ? → ....

165 **Mettez les verbes à la forme qui convient.**

Exemple : Tu **réserves** (réserver) des places pour l'exposition Matisse.

a. Le rideau .... (se lever) et les comédiens .... (apparaître).

b. On .... (jouer) ce spectacle depuis six mois car il .... (faire) un tabac.

c. La représentation .... (commencer) à 20 h 30 et les spectateurs .... (être) déjà dans la salle.

d. Les musiciens .... (interpréter) une œuvre de Ravel pendant que les danseurs .... (répéter).

e. Les spectateurs .... (applaudir) les artistes et .... (appeler) le metteur en scène.

f. Les comédiens .... (saluer) le public et .... (partir) dans leur loge.

g. Dans *La Reine Margot*, Isabelle Adjani .... (tenir) le rôle principal et son partenaire .... (s'appeler) Vincent Pérez.

h. Ce chanteur .... (avoir) beaucoup de succès et ses chansons .... (plaire) aux jeunes.

166 **Complétez par *-er* ou *-ez*.**

Exemple : Vous dev**ez** régl**er** votre consommation, s'il vous plaît.

a. Vous désir...... pay...... par chèque ou par carte ?

b. Voul......-vous déjeun...... près de la fenêtre ou bien ici ?

c. Est-ce que vous pouv...... all...... cherch...... mes affaires ?

d. Souhait......-vous réserv...... une table pour quatre ?

e. Est-ce que vous pouv...... me montr...... le dernier album de Jacques Dutronc ?

f. Désolé, je dois vous quitt....... À demain.

g. J'aimerais goût...... ce fromage, s'il vous plaît.

h. Je n'aime pas devoir mang...... rapidement.

167 **Faites des phrases à partir des titres de journaux.**

Exemple : Rentrée des classes le 4 septembre.

→ ***Les enfants rentrent en classe le 4 septembre.***

a. Départ en vacances des Parisiens au mois d'août.

→ ....

b. Arrivée aujourd'hui du Tour de France.

→ ....

c. Ouverture en octobre de l'exposition Picasso.

→ ....

d. Augmentation des prix le 1er août.

→ ....

e. Fermeture de l'autoroute A6 pendant quinze jours.

→ ....

f. Sortie aujourd'hui du film *Taxi 2*.

→ ....

g. Début des négociations entre syndicats et patronat.

→ ....

h. Baisse du prix de l'essence.

→ ....

168 **Associez les éléments pour retrouver ces expressions (parfois plusieurs possibilités).**

a. Vous   1. nageons comme des poissons.

b. On   2. se serrent la ceinture.

c. Tu   3. jouent avec le feu.

d. Elles   4. pleurez comme une madeleine.

e. Je   5. connaissons la musique.

f. Paul et Marc   6. l'achète pour une bouchée de pain.

g. Nous   7. paies les pots cassés.

h. Ses amis   8. filent à l'anglaise.

169 **Choisissez le bon verbe et mettez-le à la forme correcte.**

Exemple :   – Claude **vient** (venir/arriver) me chercher à l'aéroport avec sa femme.

– Mon amie **arrive** (venir/arriver) à 13 h 55 à la gare de Lyon.

a. – J'entends beaucoup .... (dire/parler) de ce film.

– On ne .... (dire/parler) pas « excusez-moi », mais « veuillez m'excuser ».

b. – Je n' .... (entendre/écouter) jamais la sonnerie du réveil.

– Tous les matins, j' .... (entendre/écouter) les informations à la radio.

c. – Il .... (partir/sortir) de son bureau toujours énervé.

– Nous .... (partir/sortir) pour l'Australie en août.

d. – Nous .... (savoir/connaître) les écrivains français du XIXe siècle.

– Ils ne .... (savoir/connaître) pas parler français.

e. – Ils .... (mettre/prendre) une heure pour aller à l'université.

– Le matin, je .... (mettre/prendre) une douche froide pour me réveiller.

f. – Pour passer le permis de conduire, il .... (pouvoir/devoir/falloir) avoir 18 ans.

– Vous .... (pouvoir/devoir/falloir) prendre des cours de conduite.

– Vous .... (pouvoir/devoir/falloir) passer votre permis au bout de 25 heures
de conduite.

g. – Nous .... (voir/regarder) nos parents tous les dimanches.

– Vous .... (voir/regarder) l'émission « Envoyé Spécial » tous les jeudis.

h. – Je .... (faire/vouloir) garder mon enfant trois jours par semaine.

– Elles .... (faire/vouloir) travailler à mi-temps pour s'occuper aussi de leurs
enfants.

F. LE PRÉSENT PROGRESSIF

170 Écrivez au présent progressif les verbes suivants.

Exemple : Je peux vous aider ? – Non merci, je **suis en train de regarder** (regarder).

a. Vous êtes libre ? – Désolé, je .... (servir) cette cliente.

b. Ma viande est prête ? – Un instant, il .... (préparer) votre rosbif.

c. Je peux avoir mon pull, s'il vous plaît ? – Une minute, s'il vous plaît, la vendeuse ....
.... (faire) un paquet cadeau.

d. Une baguette, s'il vous plaît. – Désolé, le pain .... (cuire).

e. Nous venons chercher nos photos. – Excusez-moi, mais les techniciens ....
.... (développer) vos photos. Revenez dans quinze minutes.

f. J'ai rendez-vous avec le docteur Chenay. – Oui, il .... (soigner) une
patiente et vous passez après.

g. Nous aimerions parler au directeur de ce supermarché. – Mais vous ....
...... (parler) au directeur.

h. Je voudrais, euh ! – Alors, petit, tu .... (hésiter) devant tous ces
gâteaux ?

171 Transformez les phrases en utilisant *en train de* selon le modèle.

Exemple : N'utilisez pas l'électricité, les ouvriers réparent des appareils électriques.
→ N'utilisez pas l'électricité, les ouvriers **sont en train de réparer** des appareils électriques.

a. Ne passez pas, s'il vous plaît, je prends une photo.
→ ....

b. Ne faites pas de bruit, le bébé dort.
→ ....

c. Ne bougez pas, le peintre fait votre portrait.
→ ....

d. Ne téléphonez pas à cette heure-ci, les employés déjeunent.
→ ....

e. Ne dérangeons pas la gardienne, elle regarde la télévision.
→ ....

f. Ne prenez pas cette rue, nous agrandissons la chaussée.
→ ....

g. Ne sortez pas, il pleut.
→ ....

h. Ne rentrez pas dans la salle de bains, Claire se douche.
→ ....

172 Répondez librement.

   Exemple : Qu'est-ce que vous cuisinez ?

   → *Je suis en train de cuisiner un canard à l'orange.*

   → *Nous sommes en train de cuisiner un canard à l'orange.*

a. À quoi tu goûtes ? → ....

b. Qu'est-ce que vous mangez ? → ....

c. Qu'est-ce qu'il met dans l'assiette ? → ....

d. Qu'est-ce que vous coupez ? → ....

e. Qu'est-ce qu'elles prennent ? → ....

f. À qui parle-t-il ? → ....

g. Qu'est-ce que tu sers ? → ....

h. Qu'est-ce que tu mélanges ? → ....

G. LES VERBES PRONOMINAUX

173 Associez les éléments pour en faire des phrases (parfois plusieurs possibilités).

a. Je   1. t'habilles toujours en noir.

b. Marie   2. nous changeons pour la soirée chez Baptiste.

c. Vous   3. m'épile les jambes l'été.

d. Les enfants   4. se parfume beaucoup.

e. Tu   5. vous regardez souvent dans la glace.

f. Ils   6. me maquille très peu.

g. Nous   7. te rases tous les matins ?

h. Olivier et moi   8. se lavent fréquemment les cheveux.

174 Complétez par le pronom manquant.

   Exemple : Ma fille et son fils *s'*aiment énormément.

a. Ma mère et moi .... adorons.

b. Ses enfants et les miens .... connaissent très bien.

c. Mon frère et mon mari .... détestent.

d. Ton ami et toi .... mariez bientôt ?

e. Mon cousin et Julien .... voient régulièrement.

f. Mes parents .... disputent de temps en temps.

g. Ton père et toi .... écrivez chaque semaine ?

h. Sa sœur et moi .... appelons par nos prénoms.

175 Que faites-vous ? Utilisez des verbes pronominaux.

   Exemple : À 7 h, *je me réveille* (se réveiller).

a. À 7 h 30, ... (se lever).

b. À 8 h, ... (se laver).

c. À 8 h 30, ... (s'habiller).

d. À 9 h, ... (s'en aller) au bureau.

e. À 9 h 30, ... (se mettre) au travail.

f. À 13 h 30, ... (s'arrêter) de travailler.

g. À 15 h, ... (s'occuper) des clients.

h. À 18 h, ... (se presser) pour rentrer chez moi.

---

176 **Complétez les phrases selon le modèle.**

Exemple : Elle se dépêche le matin mais vous, **vous vous dépêchez** le soir.

a. Ils s'occupent des enfants le mercredi mais moi, ... des enfants le samedi.

b. Je m'intéresse à la peinture mais elle, ... à l'architecture.

c. François se souvient de ses professeurs mais toi, ... du directeur.

d. Tu te moques de ces filles mais vous, ... de ces enfants.

e. Nous nous absentons lundi mais lui, ... mercredi.

f. Vous vous promenez au jardin du Luxembourg mais nous, ...
au bois de Vincennes.

g. Elle s'appelle Christine mais elles, ... Christiane et Christelle

h. Les voisins se couchent tôt mais eux, ... très tard.

Bilans

177 **Complétez par les verbes qui sont entre parenthèses.**

– *Bonjour monsieur, je (s'appeler)* .... *(1) mademoiselle Sabin, je
(venir)* .... *(2) pour visiter votre appartement.*

– *Entrez, je vous (prier)* .... *(3) . Excusez-moi, je (être en train de
repeindre)* .... *(4) la cuisine. Un instant, je (s'essuyer)* ....
(5) les mains. Alors, voici la cuisine. Elle (faire) .... *(6) 8 mètres carrés.
Vous (pouvoir)* .... *(7) y manger.*

– *Elle (sembler)* .... *(8) sombre.*

– *Le matin, oui ; mais vous (avoir)* .... *(9) le soleil l'après-midi. Nous
(passer)* .... *(10) à présent dans la salle à manger. La superficie (être)*
.... *(11) de 25 mètres carrés. Comme vous le (voir)* .... *(12),
il y (avoir)* .... *(13) une cheminée.*

– *Est-ce que je (pouvoir)* .... *(14) regarder par la fenêtre ?*

– *Oui. Ça (donner)* .... *(15) sur la rue. La chambre (être)*
.... *(16) petite mais on y (dormir)* .... *(17) au calme. Les
placards (être)* .... *(18) à droite. Dernière chose : la salle de bains.
Baignoire, bidet, W.-C. Voilà.*

– Bien. Je crois que je le (prendre) .... **(19)**.

– Qu'est-ce que vous (faire) .... **(20)** dans la vie ?

– Je suis informaticienne.

– Bon, vous (connaître) .... **(21)** mon adresse et mon numéro de télé-phone. Nous (se contacter) .... **(22)** la semaine prochaine et nous (prendre) .... **(23)** un nouveau rendez-vous. Ça vous (aller) .... **(24)** ?

– Parfait. Il (falloir) .... **(25)** que je parte. Au revoir, monsieur.

178 Mettez les verbes entre parenthèses au présent et découvrez la vie d'un boulanger.

Je (se lever) .... **(1)** à 4 heures du matin. Je (s'occuper) .... **(2)** du petit déjeuner. Ensuite je (réveiller) .... **(3)** ma femme et nous (boire) .... **(4)** notre café en silence car les enfants (dormir) .... **(5)** encore. Après je (prendre) .... **(6)** une douche pendant que Marie (débarrasser) .... **(7)** la table et (laver) .... **(8)** la vaisselle. Quand je (être) .... **(9)** prêt, je (promener) .... **(10)** le chien et ensuite je (partir) .... **(11)** au travail. Je (préparer) .... **(12)** la pâte à pain. Puis je (faire) .... **(13)** cuire le pain et les croissants. Je (se dépêcher) .... **(14)** car j' (ouvrir) .... **(15)** le magasin à 7 heures. Quand les enfants (partir) .... **(16)** pour l'école, Marie (venir) .... **(17)** à la boulangerie et (servir) .... **(18)** les clients. Nous (fermer) .... **(19)** à 20 heures. Nous (rentrer) .... **(20)** à la maison et nous (être) .... **(21)** heureux de revoir nos enfants. Nous (dîner) .... **(22)**, nous (faire) .... **(23)** notre toilette et nous (se coucher) .... **(24)** en général à 22 heures, très fatigués. Nous (travailler) .... **(25)** 5 jours par semaine et nous (avoir) .... **(26)** 5 semaines de congés.

V. LA NÉGATION

On ne fait pas d'omelette sans casser d'œufs.

A. *NE... PAS OU N'... PAS*

179 | *Ne* ou *n'*. **Complétez.**

   Exemple : Sylvie est maigre. – C'est vrai, elle *n'*est pas grosse.

a. Pierre est laid. – C'est vrai, il .... est pas beau.

b. Ça sent mauvais ici. – Oui, ça .... sent pas bon.

c. Ce garçon est bête. – Oui, il .... est pas intelligent.

d. Il fait froid. – Oui, il .... fait pas chaud.

e. C'est bon. – C'est vrai, je .... déteste pas ça.

f. Ils sont indifférents. – C'est vrai, ils .... ont pas l'air intéressé.

g. Elles semblent fermées. – Oui, elles .... sont pas très communicatives.

h. Elle est malade. – Oui, elle .... a pas bonne mine.

180 | **Remettez les phrases dans l'ordre.**

   Exemple : pas/le/n'/vous/Minitel/avez → *Vous n'avez pas le Minitel.*

a. je/pas/ces/classe/dossiers/ne → ....

b. pas/prêt/tu/es/n'/l'/pour/examen → ....

c. habite/n'/la/France/pas/Marie → ....

d. ne/parlons/pas/nous/allemand → ....

e. libres/sont/ne/pas/le/elles/samedi → ....

f. connaissez/pas/le/nouveau/présentateur/ne/vous → ....

   ....

g. ne/sommes/d'/accord/avec/pas/nous/vous → ....

   ....

h. pas/ils/mariés/sont/ne → ....

181 | **Dites le contraire.**

   Exemple : On parle la bouche pleine. → On *ne* parle *pas* la bouche pleine.

a. On met les coudes sur la table. → ....

b. Souffler sur la soupe, ça se fait. → ....

c. On sauce son assiette. → ....

d. Manger avec les doigts, c'est poli. → ....

e. On chante à table. → ....

f. On aspire les spaghettis. → ....

g. On se mouche à table. → ....

h. On noue sa serviette autour du cou. → ....

182 **Corrigez les affirmations suivantes.**

Exemple : Le comédien chante à l'opéra.→ Le comédien *ne* chante *pas* à l'opéra.

a. Juliette Binoche est une actrice suisse. → ....

b. On applaudit au milieu d'un spectacle. → ....

c. Un metteur en scène dirige les musiciens. → ....

d. Le costumier s'occupe des jeux de lumière. → ....

e. L'ouvreuse vend les places de théâtre. → ....

f. Le producteur fabrique les costumes. → ....

g. Le chef d'orchestre finance le film. → ....

h. La diva filme les acteurs. → ....

B. *NE... PAS* + CHANGEMENT DE DÉTERMINANT

183 **Faites des réponses négatives.**

Exemple : Tu suis des cours de français ? → Non, je *ne* suis *pas de* cours de français.

a. Vous préparez un concours d'entrée ? → ....

b. Tu remplis une fiche d'inscription ? → ....

c. Elle obtient un diplôme ? → ....

d. Nous prenons des cours particuliers ? → ....

e. Vous poursuivez des études ? → ....

f. Je donne un cours d'anglais à 14 heures ? → ....

g. Ils ont des examens ? → ....

h. Il a des professeurs intéressants ? → ....

184 **Répondez négativement.**

Exemple : Est-ce que tu prends des œufs ? → Non, je *ne* prends *pas d'*œuf.

a. Tu mets du sucre dans ton café ? → ....

b. Vous mangez du pain à tous les repas ? → ....

c. Vous prenez des pâtes à midi ? → ....

d. Il y a de la mayonnaise dans le sandwich ? → ....

e. Tu veux du miel ? → ....

f. Il y a des lardons dans la salade ? → ....

g. Tu bois de l'eau avec le fromage ? → ....

h. Est-ce qu'il y a de l'ail dans la sauce ? → ....

185 **Rayez ce qui est inutile.**

Exemple : Tu mets la table ? – Je ne mets pas la/~~de~~ table.

a. Vous aimez l'oignon ? – Je n'aime pas l'/d' oignon.

b. Il achète des pizzas ? – Il n'achète pas les/de pizzas.

c. Il y a un cheveu dans la soupe ? – Il n'y a pas le/de cheveu dans la soupe.

d. Il y a de l'eau fraîche ? – Il n'y a pas l'/d' eau fraîche.

e. J'aime beaucoup le chocolat. – Je n'aime pas beaucoup le/de chocolat.

f. Vous mangez de la salade ? – Je ne mange pas la/de salade.

g. Nous détestons les épices. – Nous ne détestons pas les/d' épices.

h. Tu goûtes la sauce ? – Je ne goûte pas la/de sauce.

186 *Trop, assez, beaucoup*. **Donnez une réponse.**

Exemple : Vous avez des élèves ? (trop) → Je n'ai **pas trop d'**élèves.

a. As-tu du temps ? (beaucoup) → ....

b. Elle a des rendez-vous ? (assez) → ....

c. Est-ce que tu fais du sport ? (trop) → ....

d. Vous faites des bénéfices ? (assez) → ....

e. Nous avons du travail ? (trop) → ....

f. Est-ce que tu vois des films ? (trop) → ....

g. Les enfants ont de l'argent ? (assez) → ....

h. Tes amis ont des congés ? (beaucoup) → ....

C. NE… PLUS, NE… RIEN, NE… PERSONNE, NE… JAMAIS, NE… AUCUN, NE… NI… NI, SANS, NE… QUE

187 **Associez les questions et les réponses.**

a. Tu as encore ta vieille 2 CV ?   1. Je ne cherche personne.

b. Il y a quelqu'un ici ?   2. Je n'y travaille plus.

c. Vous enregistrez quelque chose ce soir à la télévision ?   3. Je ne fais rien.

        4. Je n'ai plus de voiture.

d. Tu travailles toujours à la Fnac ?   5. Il n'y a personne.

e. Vous écoutez quelquefois Debussy ?   6. Je n'ai aucun ami.

f. Connaissez-vous du monde ?   7. Je n'écoute jamais ce compositeur.

g. Vous cherchez quelqu'un ?   8. Il n'y a rien d'intéressant.

h. Tu fais quelque chose de spécial cet été ?

188 *Rien* **ou** *personne*. **Répondez négativement.**

Exemple : Quelqu'un crie ? → Mais, **personne ne** crie !

a. Quelqu'un parle ? → ....

b. Quelque chose bouge ? → ....

c. Quelqu'un regarde ? → ....

d. Quelque chose s'allume ? → ....

e. Quelqu'un pleure ? → ....

f. Quelque chose gêne ? → ....

g. Quelque chose fonctionne ? → ....

h. Quelqu'un écoute ? → ....

189 Répondez par *ne... rien* ou *ne... personne* accompagné d'une préposition : *à, avec, contre, de, en*.

Exemple : À quoi réfléchis-tu ? → Je *ne* réfléchis *à rien*.

a. À qui écris-tu ? → ....

b. Avec qui travailles-tu ? → ....

c. De quoi parlez-vous ? → ....

d. En qui avez-vous confiance ? → ....

e. De quoi discutez-vous ? → ....

f. Contre qui es-tu fâché ? → ....

g. Pour qui chantez-vous ? → ....

h. À quoi penses-tu ? → ....

190 Répondez aux questions selon l'exemple.

Exemple : Tu es déjà allé à Paris ? → Je *ne* suis *jamais* allé à Paris.

a. Tu travailles encore le samedi ? → ....

b. Vous voulez quelque chose ? → ....

c. Tu passes de temps en temps par la rue de Buci ? → ....

d. Vous avez des problèmes ? → ....

e. Elle vit toujours avec Laurent ? → ....

f. Ils vont parfois au restaurant chinois ? → ....

g. On a des projets ? → ....

h. Vous invitez souvent les voisins ? → ....

191 Faites le portrait de ce monsieur. Complétez par des phrases négatives.

Exemple : Monsieur Pageot *n*'est *jamais* content !

a. Le directeur de mon école .... sourit ....

b. Le matin, il est présent, mais l'après-midi, il .... est .... là.

c. Il .... connaît .... à la pédagogie.

d. Il .... accueille .... dans son bureau.

e. Il .... a .... idée des problèmes des élèves.

f. Il .... trouve .... d'intéressant.

g. Ce .... est absolument .... un bon directeur.

h. D'ailleurs, je .... ai .... contact avec lui.

192 Retrouvez ces chansons françaises en choisissant les bonnes négations.

Exemple : Non, je ne/n̶' regrette rien/a̶u̶c̶u̶n̶. (*Édith Piaf*)

a. Il ne/n' rentre pas/jamais ce soir. (*Eddy Mitchell*)

b. Ne/N' avez-vous rien/pas à déclarer ? (*Yvan Dautun*)

c. Il ne/n' y a pas/rien d'amour heureux. (*Georges Brassens*)

d. Ne/N' avoue aucun/jamais. (*Guy Mardel*)

e. Ce ne/n' est rien/aucune. (*Julien Clerc*)

f. Je ne/n' t'aime rien/plus. (*Christophe*)

g. Il ne/n' y a personne/plus d'après. (*Juliette Gréco*)

h. Toi tu ne/n' ressembles à aucun/personne. (*Francis Lemarque*)

193 *Ne... ni... ni, sans, ne... que.* **Répondez négativement ou faites une restriction.**

    Exemple : Ils dépensent seulement 380 euros par mois ? → Ils **ne** dépensent **que** 300 euros par mois.

a. Tu as une carte de crédit ou un chéquier ? → ....

b. Ça coûte seulement 20 euros ? → ....

c. Tu demandes l'addition ou le champagne ? → ....

d. Tu as un compte bancaire avec intérêts ? → ....

e. Il nous prête seulement 50 euros ? → ....

f. Vous remboursez la banque ou la poste ? → ....

g. Elle sort avec de l'argent de poche ? → ....

h. Nathalie gagne bien ou mal sa vie ? → ....

D. LA NÉGATION AVEC DEUX VERBES CONSÉCUTIFS

194 Remettez dans l'ordre.

    Exemple : venir/ton/pas/anniversaire/pouvons/ne/à/nous

        → ***Nous ne pouvons pas venir à ton anniversaire.***

a. fêter/je/le/ne/14/vais/Juillet/pas → ....

b. il/pas/pense/ne/venir → ....

c. souhaite/me/je/ne/pas/marier → ....

d. il/pas/rentrer/faut/ne/tard → ....

e. vous/pas/danser/ne/avec/moi/voulez/ ? → ....

f. n'/célébrer/Noël/aime/je/pas → ....

g. désire/pas/ne/offrir/cadeau/de/je → ....

h. vous/pas/assister/devez/au/ne/mariage → ....

E. LA NÉGATION ET LE VERBE À L'INFINITIF

195 Remettez dans l'ordre.

    Exemple : ne/pelouse/sur/pas/de/dit/marcher/il/la

        → ***Il dit de ne pas marcher sur la pelouse.***

a. elle/de/fort/demande/nous/parler/pas/ne → ....

b. s'il/fumer/veuillez/vous/ne/plaît/pas → ....

c. le/pas/reconnaître/peur/j'/de/ai/ne → ....

d. l'/école/de/pas/ne/être/content/suis/je/à → ....

e. elles/déçues/pas/venir/sont/ne/de → ....

f. elles/rentrer/de/pas/ne/disent → ....

g. bouger/vous/je/prie/ne/de/pas → ....

h. seule/préfère/elle/pas/ne/sortir → ....

Bilans

196 Complétez la lettre de mécontentement de Jeanne.

Saint-Malo, le 16 juillet

Chère Michèle,

Je t'écris de l'Hôtel des Mouettes que tu nous as conseillé pour les vacances. En un mot, je .... suis .... (1) satisfaite !

Tout d'abord, le confort de la chambre .... me convient .... (2). Ce .... est .... (3) une chambre à deux lits. Elle est .... (4) téléphone. Dans la salle de bains, il .... y a .... (5) de baignoire. Il .... y a .... (6) de l'eau froide depuis ce matin. La climatisation et l'ascenseur .... fonctionnent .... (7). Bien sûr, la chambre est .... (8) balcon et .... donne .... (9) sur la mer.

Ensuite, la cuisine .... est .... variée .... (10) copieuse. On .... peut .... (11) demander de spécial. Le service est toujours mauvais, j'insiste : il .... est .... (12) parfait. On .... peut .... (13) réserver le court de tennis le jour même. Il .... y a .... (14) à la réception. L'hôtel .... propose .... (15) distraction et .... prend .... (16) initiative.

Tu connais Pierre, ... (17) .... (18) le gêne. Alors, il .... dit .... (19). Moi, en revanche, j'ai envie de .... (20) .... (21) finir mes vacances dans cet établissement !

Ce .... est .... (22) grave, Michèle. Mais il .... faut ....(23) recommander cet hôtel à tes amis car ce .... sont .... (24) les mêmes propriétaires.

Je t'embrasse.

Jeanne.

197 Répondez à la forme négative.

– Bonjour Madame Lefèvre et merci d'être là. Voilà, c'est au sujet de votre fille Corinne. Son comportement a changé en classe. A-t-elle des problèmes à la maison ? Est-elle différente ?

– Non, elle .... a .... (1) problèmes. Elle .... est .... (2) différente.

– Elle a des frères et des sœurs ? Vit-elle encore avec son père ?

– Non, elle .... a .... frère .... (3) sœur. Elle .... vit .... (4) chez son père.

– Quelqu'un l'ennuie chez elle ? Quelque chose la préoccupe ?

– Non, ... (5) l'ennuie. .... (6) la préoccupe.

– Peut-être pleure-t-elle quelquefois ? Elle est toujours triste ? Cache -t- elle quelque chose ?

– Non, elle .... pleure .... (7). Elle .... est .... (8) triste. Elle .... cache .... (9). Je ne crois pas.

– Est-ce qu'elle connaît quelqu'un ?

– Non, elle .... connaît .... (10).

– Est-ce qu'elle dort beaucoup ?

– Non, elle .... dort .... (11) huit heures.

– Enfin, Corinne a-t-elle des projets précis ?

– Non, elle .... a .... (12) projet.

– Bien Madame Lefèvre, je crois que je vais discuter avec Corinne et je vous informe le plus vite possible.

VI. L'INTERROGATION

Qui aura de beaux chevaux si ce n'est le roi ?

A. MORPHOLOGIE

198 Trouvez les questions à partir des réponses données.

> *Exemple :* **Tu pars en vacances ?** ← Oui, je pars en vacances.

a. .... ← Oui, je vais chez mes parents.

b. .... ← Non, pas le train, je prends l'avion.

c. ....
.... ← Oui, assez longtemps, je pense rester une semaine chez eux.

d. .... ← Non, pas seule, je pars avec mon fils.

e. ....
.... ← Non, je ne vais pas faire de bateau, nous allons nous reposer.

f. .... ← Oui, nous partons bientôt, demain soir.

g. ....
.... ← Non, ne nous accompagne pas à l'aéroport ; Michel nous emmène.

h. .... ← Bien sûr, je te téléphone à l'arrivée.

199 Reformulez ces questions sur le modèle donné.

> *Exemple :* Les bagages sont prêts ? → **Est-ce que** les bagages sont prêts ?

a. Tu emportes un parapluie ? → ....

b. Tu as coupé le gaz ? → ....

c. Les fenêtres sont bien fermées ? → ....

d. Le chien est dehors ? → ....

e. Tu as les clés ? → ....

f. Je peux fermer la porte ? → ....

g. Les enfants, vous n'oubliez rien ? → ....

h. Jacques, tu mets les sacs dans la voiture ? → ....

200 Posez des questions sous une autre forme.

> *Exemples :* Tu connais ta leçon ? → **Est-ce que** tu connais ta leçon ?
> Est-ce qu'elles aiment la peinture ? → **Elles aiment la peinture ?**

a. Est-ce que tu as visité le musée de la Poste ? → ....

b. Vous prenez un café ? → ....

c. Il aime les films de Godard ? → ....

d. Est-ce qu'ils parlent allemand ? → ....

e. On peut sortir ce soir ? → ....

f. Est-ce que vous allez souvent au théâtre ? → ....

g. Tu peux me donner ton nouveau numéro de téléphone ? → ....
....

h. Est-ce qu'ils ont le programme du spectacle ? → ....

201 Posez des questions en employant *est-ce que*.

Exemple : ***Est-ce que*** le Centre Pompidou est ouvert le mardi ? ← Non, le Centre Pompidou n'est pas ouvert le mardi.

a. .... ← Oui, la bibliothèque est très agréable.

b. ....
.... ← Non, la cinémathèque se trouve au dernier étage.

c. .... ← Oui, il est déjà vieux, il date de 1977.

d. ....
.... ← Oui, il accueille beaucoup de visiteurs : environ 8 millions par an.

e. ....
.... ← Non, le Musée d'Art Moderne se trouve au 4e étage.

f. ....
.... ← Oui, on peut étudier 95 langues étrangères au Centre Pompidou.

g. ....
← Oui, le Centre de Création Industrielle présente des expositions sur la vie quotidienne.

h. ....
.... ← Oui, vous devez absolument visiter ce bâtiment.

202 Posez ces questions sous une autre forme.

Exemple : Vous êtes étudiant ? → ***Êtes-vous*** étudiant ?

a. Vous vivez à Aix-en-Provence ? → ....

b. Vous allez à l'université ? → ....

c. Vous étudiez la linguistique ? → ....

d. Vous habitez actuellement chez vos parents ? → ....

e. Vous cherchez un studio ? → ....

f. Vous faites un petit travail pour payer vos études ? → ....

g. Vous remplissez ce formulaire ? → ....

h. Vous pouvez repasser le mois prochain ? → ....

203 Posez les questions en rapport avec les réponses données.

Exemple : ***Ont-ils leur nouvelle maison ?*** ← Oui, ils ont leur nouvelle maison.

a. .... ← Oui, j'aime beaucoup leur maison.

b. .... ← Non, elle n'est pas loin du RER.

c. .... ← Oui, ils vont organiser une petite fête.

d. .... ← Oui, ils ont un grand salon.

e. .... ← Bien sûr, je suis invitée et toi aussi.

f. .... ← Oui, je connais la date : samedi 20 juin.

g. .... ← Avec plaisir, on peut y aller ensemble.

h. .... ← Oui, il faut apporter des disques.

204 **Reformulez ces questions sur le modèle donné.**

Exemple : Elle regarde les vitrines dans la rue. → ***Regarde-t-elle*** les vitrines dans la rue ?

a. Il marche vite. → ....

b. On parle fort ? → ....

c. Elle écoute un opéra de Mozart ? → ....

d. Il visite des expositions de peintures ? → ....

e. Elle prépare le dîner ? → ....

f. Il passe l'aspirateur ? → ....

g. On téléphone à tes amis ? → ....

h. Elle invite Nicolas ? → ....

205 **Reformulez ces questions dans un langage plus soutenu. Aidez-vous du modèle.**

Exemples : Marie vient dîner ce soir ? → Marie ***vient-elle*** dîner ce soir ?

Les enfants rentrent de l'école à 16 h 30 ? → Les enfants ***rentrent-ils*** de l'école à 16 h 30 ?

a. Ta sœur lit beaucoup ? → ....

b. Vos amis voyagent ? → ....

c. Jean comprend l'espagnol ? → ....

d. Le film finit à 22 heures ? → ....

e. Brigitte attend un enfant ? → ....

f. Son frère peut venir m'aider ? → ....

g. Votre mari doit acheter un ordinateur ? → ....

h. Véronique écrit souvent à sa grand-mère ? → ....

....

206 **Réécrivez ces questions en employant une forme plus soutenue.**

Exemple : Est-ce que Valérie joue d'un instrument ?

→ Valérie ***joue-t-elle*** d'un instrument ?

a. Est-ce que Claire change de travail ? → ....

b. Est-ce que Joseph aime sa façon de vivre ? → ....

....

c. Est-ce que Catherine a des nouvelles de sa famille ? → ....

....

d. Est-ce que Jean-Marc bricole souvent ? → ....

e. Est-ce que le professeur aide ses élèves ? → ....

f. Est-ce que ce malade mange bien ? → ....

g. Est-ce que Jacqueline aime la bière ? → ....

h. Est-ce que Paul étudie l'allemand ? → ....

B. MOTS INTERROGATIFS

207 Posez des questions en rapport avec les réponses données.

    Exemples : **Qu'est-ce que tu veux ?** ← Je veux un pain au chocolat.

                  Qu'est-ce qu'on donne ? ← On donne 50 euros pour Noël.

a. .... ← Je préfère ce vase en cristal.

b. .... ← Elle va acheter un magazine.

c. .... ← Philippe lit un essai philosophique.

d. .... ← Je prends un jus de pamplemousse et toi ?

e. .... ← Il fait ses exercices de grammaire.

f. .... ← Nous étudions la biologie.

g. .... ← Elle aimerait voir la pièce d'Ariane Mnouchkine.

h. .... ← On mange des chewing-gums.

208 Reliez par une flèche questions et réponses.

a. Qu'est-ce que tu écris ?   1. Non, je prendrai directement un café.

b. Est-ce que tu prends un dessert ?   2. Oui, ma Peugeot est très vieille.

c. Est-ce que tu fais du sport ?   3. De la natation.

d. Qu'est-ce que tu prends comme dessert ? 4. Non, je n'ai pas le temps d'écrire.

e. Qu'est-ce que tu vends ?   5. Oui, du tir à l'arc.

f. Qu'est-ce que tu fais comme sport ?   6. Ma Citroën, elle marche très bien.

g. Est-ce que tu écris ?   7. Une tarte aux poires.

h. Est-ce que vous vendez votre voiture ? 8. Un poème.

209 Complétez les questions suivantes par *est-ce que* **ou** *qu'est-ce que.*

    Exemples : **Qu'est-ce qu'**elle préfère ?

                 Est-ce que ton frère aime la voile ?

a. .... tu veux venir avec nous ?

b. .... elle fait dans la vie ?

c. .... vous êtes célibataire ?

d. .... ils voyagent seuls ?

e. .... tu connais Véronique Sanson ?

f. .... on prend comme boisson ?

g. .... vous pensez de cette affaire ?

h. .... ils font la sieste ?

210 Associez par des flèches questions et réponses.

1. Un magnétoscope.

2. Une carte à puce.

a. Qui est-ce ? ———————————→ 3. Patrick, un cousin.

4. Mon fiancé.

5. Un Minitel.

b. Qu'est-ce que c'est ? 6. Un distributeur automatique de billets.

7. Catherine, une collègue.

8. Madame Bernart.

211 Cochez la bonne réponse.

Exemple : Qu'est-ce que vous cherchez ?

    1. ☐ Oui, je cherche un emploi.   **2.** ☒ mes clés de voiture.   **3.** ☐ M. Miot.

a. Est-ce que vous suivez les informations ?

    1. ☐ Oui, j'écoute la radio.   **2.** ☐ La télévision.   **3.** ☐ Alain Duhamel dans *Le Figaro*.

b. Qu'est-ce que vous aimez comme musique ?

    1. ☐ Non, pas beaucoup.   **2.** ☐ Oui, j'adore la chanson *Paris s'éveille*.   **3.** ☐ J'aime bien l'opéra.

c. Qui est-ce que vous voulez voir ?

    1. ☐ Jacqueline Lariven.   **2.** ☐ Le dernier film de Polanski.   **3.** ☐ Oui, M. Maurin.

d. Qu'est-ce que vous mangez ?

    1. ☐ Non, je n'aime pas la viande.   **2.** ☐ Une tarte aux pommes.   **3.** ☐ Je mange beaucoup.

e. Qui est-ce qu'il demande ?

    1. ☐ Il demande où sont les toilettes.   **2.** ☐ Il veut parler à M. Arnoux.   **3.** ☐ Oui, il cherche sa carte orange.

f. Est-ce que tu comprends ?

    1. ☐ La solution du problème.   **2.** ☐ Le professeur.   **3.** ☐ Non, pas très bien.

g. Qu'est-ce que vous faites ?

    1. ☐ Non, je n'ai pas de timbre.   **2.** ☐ Oui, je prends une enveloppe.   **3.** ☐ J'écris une lettre.

h. Qui est-ce qui parle ?

    1. ☐ Il parle de son expérience.   **2.** ☐ Sa sœur.   **3.** ☐ Oui, Sylvie parle un peu trop.

212 Allégez ces questions en employant *qui*.

Exemple : Qui est-ce qui connaît cette chanson ? → ***Qui*** connaît cette chanson ?

a. Qui est-ce qui vient en voiture avec moi ? → ....

b. Qui est-ce qui prend un Coca ? → ....

c. Qui est-ce qui veut partir pour l'Italie ? → ....

d. Qui est-ce qui sait nager ? → ....

e. Qui est-ce qui connaît la bonne réponse ? → ....

f. Qui est-ce qui lit ce roman ? → ....

g. Qui est-ce qui se marie ? → ....

h. Qui est-ce qui va au cinéma ce soir ? → ....

213 Allégez ces questions en employant *que* ou *qu'*.

Exemples : Qu'est-ce que vous faites dans la vie ? → **Que** faites-vous dans la vie ?

Qu'est-ce qu'Arthur regarde ? → **Que** regarde Arthur ?

a. Qu'est-ce qu'elle joue comme rôle ? → ....

b. Qu'est-ce que tu achètes comme disques ? → ....

c. Qu'est-ce que vous pensez de ce film ? → ....

d. Qu'est-ce que Béatrice préfère ? → ....

e. Qu'est-ce qu'elle offre à son père ? → ....

f. Qu'est-ce qu'ils décident pour le week-end ? → ....

g. Qu'est-ce que Marc étudie ? → ....

h. Qu'est-ce que les enfants disent ? → ....

214 Complétez les questions suivantes par *qui* ou *que*.

Exemples : **Qui** fait la vaisselle ce soir ?

Que préfères-tu : dîner à la maison ou au restaurant ?

a. .... préparez-vous pour le déjeuner ?

b. .... accepte de faire les courses ?

c. .... repasse-t-elle ?

d. .... lave le sol ?

e. .... vide la machine à laver ?

f. .... nettoyez-vous ?

g. .... passe l'aspirateur ?

h. .... cirez-vous ?

215 Complétez par *que* ou *quoi*.

Exemples : Avec **quoi** tu fais cette sauce ?

Que met-elle dans le pot-au-feu ?

a. De .... as-tu besoin pour le repas du soir ?

b. Elle utilise .... pour préparer cette recette ?

c. À .... ressemble ce plat tunisien ?

d. .... pense-t-elle faire comme dessert ?

e. Tu veux des œufs pour faire .... ?

f. .... prenez-vous comme plat principal ?

g. .... peuvent-ils faire pour t'aider ?

h. De .... as-tu besoin ?

216 Complétez les questions suivantes par *quel, quelle, quels* ou *quelles*.

Exemples : **Quel** jour est-on ?   **Quelle** heure est-il ?

a. .... horaires vous conviennent le mieux ?

b. En .... année s'est passé cet événement ?

c. À .... service téléphonez-vous ?

d. De .... documents parlez-vous ?

e. .... semaine part-il en vacances ?

f. En .... saison sommes-nous ?

g. .... mois sommes-nous ?

h. .... matinées êtes-vous libre ?

217 Reformulez les questions suivantes.

Exemple : Votre nom ? → **Quel** est votre nom ?

a. Votre adresse ? → ....

b. Vos diplômes ? → ....

c. Vos préférences ? → ....

d. Votre nationalité ? → ....

e. Votre numéro de passeport ? → ....

f. Vos jours de repos ? → ....

g. Votre ancien salaire ? → ....

h. Vos activités de loisirs ? → ....

218 Posez les questions correspondant aux réponses fournies. Utilisez *où*.

Exemple : **Où** Pierre est-il né ? ← Il est né à Bordeaux.

a. .... ← Il fait des études à Grenoble.

b. .... ← Il vit dans la banlieue de Grenoble.

c. .... ← Il habite rue du Général-Leclerc.

d. .... ← Valentine se marie à Orléans.

e. .... ← Elle travaille à la poste.

f. ....
.... ← Elle passe ses vacances dans les Pyrénées.

g. .... ← Son appartement se trouve à Agen.

h. ....
.... ← Elle fait de la gymnastique dans une salle de sport.

219 Allégez les questions suivantes en utilisant *où, d'où* ou bien *par où*.

Exemple : Par où est-ce que vous êtes passés ? → **Par où** êtes-vous passés ?

a. D'où est-ce qu'elles arrivent ? → ....

b. Où est-ce que Jean travaille ? → ....

c. Par où est-ce qu'on entre ? → ....

d. Où est-ce qu'aura lieu leur mariage ? → ....

e. Où est-ce que tu ranges ta voiture ? → ....

f. D'où est-ce que Laurent vient ? → ....

g. Où est-ce que tu as trouvé ce joli vase ? → ....

h. D'où est-ce qu'on va envoyer cette lettre ? → ....

220 Posez les questions correspondant aux réponses données en employant *où, d'où, par où*.

Exemple : **D'où** est parti ce colis ? ← Ce colis est parti de Marseille.

a. .... ← Il faut descendre à la station Saint-Sulpice.

b. .... ← Elle peut entrer par la porte du jardin.

c. .... ← Ils arriveront à la gare de Lyon.

d. .... ← J'arrive de Vancouver.

e. .... ← L'envoyé spécial téléphone de Jérusalem.

f. .... ← Les cambrioleurs sont passés par la fenêtre.

g. .... ← Elles descendent à l'hôtel *Lutétia*.

h. .... ← Nous ferons un détour par Sarlat.

221 Associez questions et réponses (parfois plusieurs possibilités).

a. Où descendez-vous ?————————————→ 1. Au bord de la mer.

b. Quand le bus part-il ? 2. Dans deux ans.

c. Où pars-tu en séminaire ? 3. À la prochaine station.

d. D'où arrives-tu ? 4. De la piscine.

e. Quand prends-tu ta retraite ? 5. À partir du 18 juin.

f. Par où la déviation passe-t-elle ? 6. Dans un quart d'heure.

g. Où vont-ils ce week-end ? 7. À Versailles.

h. À partir de quand est-il en congé ? 8. Par Besançon.

222 Associez questions et réponses (parfois plusieurs possibilités).

a. Où travaillez-vous maintenant ? 1. En express.

b. Comment réglez-vous vos achats ? 2. En mars.

c. Quand êtes-vous libre ? 3. En plein cœur de Paris.

d. Quand commencez-vous les travaux ? 4. En espèces.

e. Où se trouvent vos bureaux ? 5. En pleine forme.

f. Comment envoyez-vous cette lettre ? 6. En 1972.

g. Quand a eu lieu cette affaire ? 7. En milieu d'après-midi.

h. Comment te sens-tu ? 8. En grande banlieue.

223 Posez des questions en employant *comment* (plusieurs phrases possibles).

Exemple : **Comment** ont-ils appris la nouvelle ? ← En écoutant les informations.

a. .... ← En voiture.

b. .... ← Assez bien, merci, et toi ?

c. .... ← Il faut appuyer sur le bouton pour l'allumer.

d. .... ← En anglais bien, mais je travaille mal en espagnol.

e. .... ← Il progresse très lentement.

f. .... ← Elle, c'est Fabienne et moi, Céline.

g. .... ← Je travaille à temps partiel.

h. .... ← Dans Lyon, on circule en bus ou en métro.

224 Complétez les phrases par *comment* ou *pourquoi* en tenant compte des réponses.

Exemples : Elle reste à la maison le mercredi, **pourquoi** ? – Parce qu'elle garde les enfants.

Comment se passe sa 6ᵉ ? – Elle trouve ça très difficile.

a. Tu paies tes études .... ? – Je fais souvent du baby-sitting.

b. .... ça ne va pas ? – Parce qu'il a des problèmes avec son employeur.

c. .... fait-elle pour parler si bien italien ? – Sa mère est italienne.

d. On prépare .... les ris de veau ? – Téléphone à ma mère, elle t'expliquera.

e. .... vos amis ne viennent-ils pas ? – Parce qu'ils sont très fatigués ce soir.

f. .... reculez-vous ? – Parce que j'ai pris la rue en sens interdit.

g. Tu t'organises .... pour tout faire ? – Je suis assez méthodique.

h. .... marchez-vous si lentement ? – Parce que j'ai mal aux pieds.

225 **Associez questions et réponses.**

a. Combien de temps il vous faut ?   1. Pour avoir une chambre supplémentaire.

b. Pourquoi on se dépêche tant ?   2. Pour s'occuper de sa fille.

c. Pourquoi déménagez-vous ?   3. Pour l'instant, 25 ans.

d. Vous avez besoin de combien ?   4. Pour deux personnes, 40 euros.

e. Pourquoi prend-il un congé parental ?   5. Pour rentrer chez moi, 30 minutes.

f. Combien fait la chambre ?   6. Pour perfectionner mon anglais.

g. Combien de temps avez-vous travaillé ?   7. Pour pouvoir sortir ce soir.

h. Pourquoi vas-tu vivre aux États-Unis ?   8. Pour acheter ce terrain, il me faut
40 000 euros.

226 **Complétez les questions suivantes par** *combien* **ou** *combien de/d'*.

Exemples : Tu prends **combien de** sucres dans ton café ?

                Elle pèse **combien** ?

a. Vous dormez .... heures par nuit ?

b. Sa voiture mesure .... ?

c. Ce sac fait .... ?

d. .... gagne le directeur ?

e. .... enfants ont-ils ?

f. Le maçon demande .... pour refaire le mur ?

g. Vous avez .... jours fériés en France ?

h. Vous fumez .... cigarettes par jour ?

227 **Voici des informations sur la Bourgogne. Posez des questions correspondant aux réponses données.**

Exemple : **Qu'est-ce que la Bourgogne ?** ← La Bourgogne est une région de France.

a. ....
.... ← La Bourgogne se trouve dans le Centre, à l'est du Massif central.

b. ....
.... ← La principale économie bourguignonne est la culture de la vigne.

c. ....
.... ← C'est au XVᵉ siècle que la Bourgogne est devenue une province française.

d. ....
← Elle est devenue française car Charles le Téméraire, dernier duc de Bourgogne, n'avait pas d'enfant.

e. ....
.... ← On peut aller en Bourgogne par l'autoroute ou en TGV.

f. ....
.... ← On peut déguster le coq au vin, les escargots et la moutarde de Dijon.

g. ....
.... ← Quatre départements
constituent la Bourgogne : la Côte-d'Or, la Nièvre, la Saône-et-Loire et l'Yonne.

h. ....
.... ← Les grandes villes touristiques sont : Dijon, Beaune, Auxerre et Vézelay.

228 Voici quelques informations sur des personnages de *B.D.*.* Posez des questions correspondant aux informations données.

Exemple : **D'où Bécassine vient-elle ?** ← Bécassine vient de Bretagne.

a. ....
.... ← Bécassine apparaît pour la première fois en 1905.

b. ....
.... ← Ce sont Pinchon et Caumery qui ont inventé les aventures de Bécassine.

c. ....
.... ← Elle gagne
sa vie en travaillant comme domestique dans des fermes ou pour des familles riches.

d. ....
.... ← Elle a de nombreux problèmes car elle est très naïve et assez bête.

e. ....
.... ← Goscinny et Uderzo ont produit 27 albums d'Astérix le Gaulois.

f. ....
.... ← L'inséparable ami d'Astérix s'appelle Obélix.

g. ....
← Les aventures d'Astérix sont publiées pour la première fois dans le magazine *Pilote*.

h. ....
← Ces deux Gaulois sont très forts car ils boivent la potion magique du druide Panoramix.

229 Posez des questions sur les fêtes françaises (plusieurs phrases possibles).

Exemple : **Combien y-a-t-il de jours fériés en France ?** ← En France, il y a 11 jours
fériés par an.

a. ....
.... ← On achète des fleurs le 1er novembre pour aller au cimetière.

b. ....
.... ← On appelle le 1er mai la fête du Travail.

c. ....
.... ← Le jeudi de l'Ascension arrive 40 jours après Pâques.

d. ....
← Deux fêtes correspondent à la fin des deux guerres mondiales : le 11 Novembre et le 8 Mai.

e. ....
.... ← La fête nationale est le 14 juillet car c'est l'anniversaire de la prise de la Bastille.

f. ....
.... ← C'est la naissance du Christ qu'on célèbre le 25 décembre.

---

* B.D. : *Bande Dessinée.*

g. ....
.... ← On réveillonne
la nuit de la Saint-Sylvestre car c'est la fin de l'année et le début de l'année nouvelle.
h. ....
.... ← Ce sont des sujets en chocolat que les enfants reçoivent le jour de Pâques.

Bilans

230 **Complétez cet entretien par des mots interrogatifs en tenant compte des réponses données.**

– Bonjour mademoiselle, asseyez-vous !

– Bonjour monsieur.

– Tout d'abord, ... **(1)** est votre nom ?

– Olga Dürer.

– .... **(2)** venez-vous ?

– Je viens d'Amsterdam, je suis hollandaise.

– .... **(3)** est votre date de naissance ?

– Je suis née le 25 mars 1979.

– .... **(4)** faites-vous dans la vie ?

– Actuellement, j'étudie le français à Paris.

– Et .... **(5)** payez-vous vos études ?

– Je suis jeune fille au pair.

– ....**(6)** habitez-vous ?

– 37, rue des Blancs-Manteaux dans le 4e arrondissement.

– Chez .... **(7)** travaillez-vous ?

– Chez Madame Blancpain.

– ....**(8)** enfants a-t-elle ?

– Elle a une petite fille de 6 ans.

– Depuis .... **(9)** travaillez-vous chez eux ?

– Depuis six mois.

– Bien ! Alors maintenant, ... **(10)** venez-vous me voir ?

– Je voudrais quitter la famille Blancpain.

– Pour .... **(11)** raison ? Vous n'êtes pas bien chez eux ?

– Si, mais je voudrais aller à Toulouse, pour rejoindre ma sœur.

– .... **(12)** fait-elle à Toulouse ?

– Elle vient d'avoir un bébé et elle m'a proposé de venir habiter chez elle. Et je pourrai aussi continuer mes études !

– Je vois, je vais entrer en relation avec Madame Blancpain. Je vous téléphonerai dans quelques jours.

– Merci, monsieur.

– Au revoir, Mademoiselle Dürer.

231 Trouvez la question correspondant à chaque élément souligné.

a. En général, _les Français_ ont _5 semaines de congés payés_.

→ ....

→ ....

b. _En été_, beaucoup de Français passent leurs vacances _à la mer_.

→ ....

→ ....

c. Ils partent au _mois d'août_ et _en voiture_.

→ ....

→ ....

d. Tous les jours ils vont _à la plage_ _parce qu'ils aiment se détendre et bronzer_.

→ ....

→ ....

e. Les enfants aiment _s'amuser_ _au bord de l'eau_.

→ ....

→ ....

f. Ils jouent _au ballon_, ils font _des châteaux de sable_ et ils se baignent.

→ ....

→ ....

g. Les parents _lisent, nagent_ _ou pratiquent un sport nautique_.

→ ....

→ ....

VII. L'IMPÉRATIF

Chassez le naturel, il revient au galop.

A. AFFIRMATION ET NÉGATION

232 Soulignez les verbes à l'impératif.

> *Exemples :* Ne pas courir !
>
> Ne <u>fumez</u> pas dans les salles de cours.

a. Vous ne devez pas jeter vos papiers dans la rue.
b. Utilisez les passages pour piétons.
c. Avance jusqu'à la ligne rouge.
d. Un train peut en cacher un autre.
e. Défense de plonger.
f. Conservez votre ticket de parking.
g. Ne pas traverser les voies ferrées.
h. Empruntez le passage souterrain.

233 Donnez des conseils en utilisant l'impératif.

> *Exemple :* Avant de partir en vacances : tu dois couper l'électricité.
>
> → *coupe* l'électricité.

a. nous devons fermer les fenêtres. → ....
b. vous devez donner l'adresse des vacances à la gardienne. → ....
   ....
c. tu dois laisser les clés à la gardienne. → ....
d. tu dois ranger l'appartement. → ....
e. vous devez arroser les plantes. → ....
f. nous devons débrancher le téléphone. → ....
g. tu dois arrêter les radios-réveils. → ....
h. vous devez brancher l'alarme de sécurité. → ....

234 Employez l'impératif pour formuler ces conseils pour avoir une vie plus saine.

> *Exemple :* Dormir plus. (nous) → *Dormons* plus.

a. Manger plus de fruits. (tu) → ....
b. Boire moins de vin. (vous) → ....
c. Prendre plus de vacances. (nous) → ....
d. Faire plus souvent du sport. (tu) → ....
e. Sortir moins le soir. (nous) → ....
f. Être plus calme. (tu) → ....
g. Avoir plus de temps libre. (vous) → ....
h. Partir à la campagne le week-end. (tu) → ....

235 Voici quelques phrases clés de l'éducation. Écrivez-les à l'impératif.

Exemple : Tu ne dois pas manger trop de pain. → *Ne mange pas* trop de pain !

a. Vous ne devez pas traîner les pieds ! → ....

b. Vous ne devez pas parler sur ce ton ! → ....

c. Tu ne dois pas passer ton temps devant la glace ! → ....

d. Vous ne devez pas oublier de dire « merci ». → ....

e. Tu ne dois pas parler la bouche pleine ! → ....

f. Vous ne devez pas rester une heure au téléphone ! → ....

g. Tu ne dois pas bouger tout le temps sur ta chaise ! → ....

h. Vous ne devez pas fermer la porte de la salle de bains à clé ! → ....

....

236 Formulez ces interdictions à l'impératif.

Exemple : Il est interdit de klaxonner en ville. → *Ne klaxonnez pas* en ville !

a. Ne pas prendre les rues en sens interdit. → ....

b. Défense de dépasser les 80 km/h sur les voies rapides. → ....

c. Interdiction de mettre les phares de jour. → ....

d. Ne pas rouler à plus de 50 km/h en ville. → ....

e. Il est interdit de conduire à gauche. → ....

f. Il ne faut pas garer de voiture devant les sorties de secours. → ....

....

g. Défense de franchir la ligne blanche. → ....

h. Ne pas faire d'auto-stop sur les autoroutes. → ....

237 Donnez l'ordre contraire.

Exemples : N'appelle pas un taxi ! → *Appelle* un taxi !

Prenons l'omnibus de 17 h 05 ! → *Ne prenons pas* l'omnibus de 17 h 05 !

a. Achetez votre coupon de carte orange ! → ....

b. Ne réserve pas ta couchette pour Avignon ! → ....

c. N'enregistrons pas nos bagages ! → ....

d. Faites votre réservation pour Marseille ! → ....

e. Demandons les places près de la fenêtre ! → ....

f. Ne téléphone pas aux renseignements ! → ....

g. Prends le bus n° 92 ! → ....

h. Vérifions l'heure du vol ! → ....

238 Voici des recommandations pour devenir un « cordon bleu ». Réécrivez-les en employant l'impératif.

Exemple : Vous devez acheter des produits de bonne qualité.

→ *Achetez* des produits de bonne qualité !

a. Vous ne devez pas faire plusieurs choses en même temps. → ....

....

b. Vous devez prendre votre temps. → ....

c. Vous devez réunir vos ustensiles de cuisine. → ....

d. Vous ne devez pas aller trop vite. → ....

e. Vous devez suivre attentivement la recette. → ....

f. Vous ne devez pas perdre votre calme. → ....

g. Vous devez goûter de temps en temps. → ....

h. Vous devez servir les plats bien présentés. → ....

239 **Complétez par l'infinitif ou l'impératif.**

Exemple : Prière de **ne pas claquer** (ne pas claquer) la porte.

a. Je vous prie d' .... (enlever) vos chaussures.

b. Les enfants, ... (aller) à la salle de bains avant de venir à table !

c. Si vos chaussures sont sales, ... (frotter)-les sur le paillasson !

d. Interdiction d' .... (écouter) de la musique trop fort après minuit.

e. .... (ne pas oublier) d'éteindre la lumière avant de vous coucher.

f. .... (sonner) avant d'entrer.

g. Chers locataires, ... (vouloir) retirer les nouvelles clés des caves auprès de la gardienne.

h. Vous êtes priés de .... (fermer) la porte d'entrée de l'immeuble.

B. LES VERBES PRONOMINAUX

240 **Reformulez ces consignes en employant l'impératif.**

Exemples : Tu te dépêches. → **Dépêche-toi !**

Vous vous levez plus tôt. → **Levez-vous** plus tôt !

a. Tu te fais un shampooing deux fois par semaine. → ....

b. Nous nous habillons rapidement. → ....

c. Vous vous faites une mise en plis. → ....

d. Tu te douches le soir. → ....

e. Nous nous lavons les dents énergiquement. → ....

f. Vous vous coupez les ongles chaque semaine. → ....

g. Tu te rases tous les jours. → ....

h. Nous nous brossons les cheveux avant d'aller au lit. → ....

241 **Dites le contraire.**

Exemple : Ne te couvre pas la tête. → **Couvre-toi** la tête !

a. Ne te brosse pas les ongles. → ....

b. Ne vous faites pas remarquer. → ....

c. Ne vous enfermez pas dans les toilettes. → ....

d. Ne te balance pas sur ta chaise. → ....

e. Ne nous occupons pas des voisins. → ....

f. Ne te tiens pas droite. → ....

g. Ne nous éloignons pas. → ....

h. Ne vous pressez pas pour finir vos devoirs. → ....

242 Donnez le conseil inverse.

> *Exemple :* Préoccupe-toi de ton voyage. → ***Ne te préoccupe pas*** de ton voyage.

a. Assurons-nous des horaires d'arrivée. → ....

b. Renseignez-vous auprès de l'office du tourisme. → ....

c. Inquiète-toi à propos de cette lettre. → ....

d. Intéressons-nous davantage à la publicité. → ....

e. Interrogeons-nous sur leur avenir. → ....

f. Informe-toi auprès de l'hôtesse. → ....

g. Adressons-nous à la banque. → ....

h. Abonne-toi aux services bancaires du Minitel. → ....

243 Donnez l'ordre inverse.

> *Exemples :* Ne vous inscrivez pas en juillet. → ***Inscrivez-vous*** en juillet.
>
> Présente-toi en retard. → ***Ne te présente pas*** en retard.

a. Inquiète-toi pour ton examen. → ....

b. Préparez-vous pour cet entretien. → ....

c. Renseigne-toi sur les matières. → ....

d. Ne vous occupez pas des dossiers d'inscription. → ....

....

e. Adressons-nous au secrétariat. → ....

f. Ne te munis pas de photographies. → ....

g. Préoccupez-vous des frais de scolarité. → ....

h. Ne fournissez pas les pièces manquantes. → ....

244 Remettez les phrases dans l'ordre.

> *Exemple :* vos/vous/occupez/de/affaires → ***Occupez-vous de vos affaires.***

a. souci/fais/te/de/pas/ne → ....

b. vous/moi/pas/pour/ne/inquiétez → ....

c. dans/vous/ce/fauteuil/asseyez → ....

d. souvent/repose/plus/toi → ....

e. réussir/toi/à/force → ....

f. vous/aise/à/mettez/l' → ....

g. fâchons/pas/nous/ne → ....

h. ça/nous/pas/de/ne/mêlons → ....

C. IMPÉRATIF ET PRONOMS COMPLÉMENTS

245 Réécrivez ces phrases en utilisant un pronom et l'impératif.

> *Exemple :* Faire les courses. → ***Faites-les !***

a. Préparer le repas. → ....

b. Nourrir les oiseaux. → ....

c. Étendre la lessive. → ....

d. Remettre le salon en ordre. → ....

e. Remplir le lave-linge. → ....

f. Repasser la chemise bleue. → ....

g. Finir la vaisselle. → ....

h. Passer l'aspirateur. → ....

246 **Formulez ces consignes négatives en employant un pronom et l'impératif.**

Exemple : Tu ne dois pas essuyer les verres en cristal. → **Ne les essuie pas.**

a. Tu ne dois pas balayer la cuisine. → ....

b. Tu ne dois pas laver les pulls en laine. → ....

c. Tu ne dois pas ranger les assiettes. → ....

d. Tu ne dois pas cirer le plancher. → ....

e. Tu ne dois pas nettoyer les carreaux. → ....

f. Tu ne dois pas faire le ménage. → ....

g. Tu ne dois pas lessiver les murs. → ....

h. Tu ne dois pas vider le réfrigérateur. → ....

247 **Reformulez ces conseils en suivant le modèle donné.**

Exemples : Il faut écrire <u>à ta mère</u>. → **Écris-lui.**

Il ne faut pas téléphoner <u>à vos amis</u>. → **Ne leur téléphonez pas.**

a. Il ne faut pas poser cette question <u>à nos voisins</u>. → ....

b. Il faut envoyer un chèque <u>à ton plombier</u>. → ....

c. Il ne faut pas répondre <u>à votre directeur</u>. → ....

d. Il faut obéir <u>à ton maître d'école</u>. → ....

e. Il faut raconter cette histoire <u>à Serge</u>. → ....

f. Il faut demander des disques <u>à tes copains</u>. → ....

g. Il faut prêter des verres <u>à Paul et Virginie</u>. → ....

h. Il ne faut pas emprunter d'argent <u>à vos parents</u>. → ....

248 **Transformez ces consignes en donnant des ordres.**

Exemple : Tu m'écoutes ! → **Écoute-moi !**

a. Vous nous appelez de temps en temps. → ....

b. Tu me prêtes ta moto. → ....

c. Nous leur donnons l'autorisation de sortir. → ....

d. Tu nous demandes son adresse. → ....

e. Vous lui envoyez une carte postale. → ....

f. Nous lui téléphonons. → ....

g. Tu me passes Mireille. → ....

h. Nous lui indiquons la route la plus courte. → ....

249 Dites le contraire.

Exemple : Prêtons-lui le magnétoscope. → ***Ne lui prêtons pas*** le magnétoscope.

a. Emprunte-lui sa voiture. → ....

b. Parlez-leur librement. → ....

c. Abonnez-nous à *Libération*. → ....

d. Montre-moi comment ça marche. → ....

e. Commandons-leur cette montre. → ....

f. Apportez-moi des fleurs. → ....

g. Emmène-moi avec toi. → ....

h. Conduisez-moi à la gare. → ....

250 Donnez l'ordre contraire.

Exemples : Parle-moi plus fort. → ***Ne me parle pas*** plus fort.

Ne me félicitez pas. → ***Félicitez-moi***.

a. Ne me donnez pas sa nouvelle adresse. → ....

b. Rends-moi la monnaie. → ....

c. Prêtez-moi un parapluie. → ....

d. Ne me raccompagne pas chez moi. → ....

e. Ne m'écris plus. → ....

f. Dites-moi ce qui se passe. → ....

g. Demande-moi ce que j'ai. → ....

h. Ne m'apportez pas ces magazines. → ....

251 Associez phrases et situations correspondantes.

a. Votre copain est très étourdi.

b. Il a encore manqué la sortie d'autoroute.

c. Votre sœur part pour le Vietnam.

d. Elle fume cigarette sur cigarette.

e. Vos enfants sont en retard pour aller à l'école.

f. Votre frère se met facilement en colère.

g. Mon amie a beaucoup grossi pendant l'été.

h. La machine à laver déborde ; vous appelez le plombier.

1. « Appelle-moi si tu as un problème ! »

2. « Arrête-toi de fumer ! »

3. « Et surtout, ne vous arrêtez pas en chemin ! »

4. « Je t'en prie, ne te fâche pas ! »

5. « Dépêchez-vous de venir ! »

6. « N'oublie pas que c'est mon anniversaire la semaine prochaine ! »

7. « Fais attention, tu t'es encore trompé ! »

8. « Mets-toi au régime ! »

252 Dites le contraire.

Exemples : Prenez-en d'autres. → ***N'en prenez pas*** d'autres.

Vas-y. → ***N'y va pas***.

a. Achètes-en. → ....

b. Allons-y. → ....

c. Manges-en. → ....

d. Passez-y. → ....

e. Buvez-en. → ....

f. Retournons-y. → ....

g. Demandons-en plus. → ....

h. Donnes-en moins. → ....

253 **Réécrivez ces phrases à l'impératif.**

Exemples : Nous y passons peu de temps. → *Passons-y* peu de temps.

Tu n'en prends plus. → *N'en prends plus*.

a. Vous y allez plus souvent. → ....

b. Tu en choisis quelques-unes. → ....

c. Nous y restons longtemps. → ....

d. Vous en consommez peu. → ....

e. Nous y séjournons quelques jours. → ....

f. Vous en offrez souvent. → ....

g. Nous y retrouvons des copains. → ....

h. Vous en faites beaucoup. → ....

254 **Répondez aux questions suivantes en employant l'impératif.**

Exemples : Nous pouvons aller au cinéma ce soir ? → Oui, *allez-y.*

Je peux prendre des photos ? → Non, *n'en prends pas.*

a. Vous pouvez passer par les Champs-Élysées ? → Oui, ...

b. Je peux apporter du vin ? → Non, ...

c. Nous pouvons partir pour Singapour ? → Oui, ...

d. Vous pouvez donner des nouvelles ? → Non, ...

e. Je peux prendre du champagne ? → Oui, ...

f. Nous pouvons goûter ce gâteau ? → Non, ...

g. Je peux passer chez Françoise ? → Non, ...

h. Vous pouvez offrir des chocolats ? → Non, ...

255 **Remettez les phrases dans l'ordre.**

Exemple : mets/n'/pas/partout/en → *N'en mets pas partout.*

a. pas/n'/touchons/y → ....

b. aux/donnez/en/enfants → ....

c. n'/allez/vite/pas/y/trop → ....

d. trop/en/n'/faites/pas → ....

e. plusieurs/en/distribuons → ....

f. gouttes/en/buvons/quelques → ....

g. deux/n'/prends/pas/en → ....

h. un/en/manges/peu/petit → ....

256 Complétez ces phrases en utilisant l'impératif.

Exemple : Vous voulez emmener les chiens, alors **emmenez-les.**

a. Vous ne voulez plus aller au cinéma, alors ....

b. Tu ne veux pas prendre cette robe, alors ....

c. Nous ne voulons pas acheter de voiture, alors ....

d. Vous ne voulez pas choisir de dessert, alors ....

e. Vous souhaitez commander un apéritif, alors ....

f. Tu veux passer tes vacances en Bretagne, alors ....

g. Nous voulons prendre une femme de ménage, alors ....

h. Vous ne voulez pas avoir d'enfant, alors ....

Bilans

257 Voici quelques conseils pour vivre mieux et plus longtemps.
Réécrivez-les en employant l'impératif.

a. *Vous devez vous arrêter de fumer !*

→ ....

b. *Il ne faut pas manger trop de viandes et d'aliments gras ! (nous)*

→ ....

c. *Vous devez consommer plus de légumes et de fruits frais !*

→ ....

d. *Il faut faire du sport chaque semaine ! (tu)*

→ ....

e. *Tu dois prendre ton temps !*

→ ....

f. *Vous devez passer plus de temps à la campagne !*

→ ....

g. *Il faut lire et sortir pour le plaisir ! (nous)*

→ ....

h. *Nous devons dormir suffisamment et ne pas nous coucher après minuit !*

→ ....

258 Voici quelques phrases très courantes pour faire l'éducation d'un enfant. Réécrivez-les en employant l'impératif.

a. Je veux que tu enlèves tes mains de tes poches !

→ ....

b. Tu dois parler moins fort !

→ ....

c. Je voudrais que tu t'occupes de ta sœur !

→ ....

d. Tu dois aller jouer dans ta chambre !

→ ....

e. Je ne veux pas que tu t'enfermes dans la salle de bains !

→ ....

f. Il ne faut pas te balancer sur ta chaise !

→ ....

g. Il faut réfléchir avant de parler !

→ ....

h. Tu dois laisser passer les gens !

→ ....

i. Il ne faut pas mettre tes coudes sur la table !

→ ....

j. Tu dois finir ta soupe !

→ ....

k. Tu devrais te tenir droit !

→ ....

Mais l'éducation ne s'arrête pas là ! Continuez cette liste de formules clés.

VIII. LES PRONOMS COMPLÉMENTS

Aujourd'hui à moi, demain à toi.

A. LE, LA, L' ET LES

259 Soulignez les pronoms *le, la, l', les*.

Exemple : Qui a écrit *Les Mandarins* ? – Ce roman, c'est Simone de Beauvoir qui l'a écrit.

a. Nous l'avons lu il y a bien longtemps, *Le Père Goriot*.

b. Vous avez vu l'exposition Chagall ? – Oui, on l'a vue au Musée d'Art Moderne.

c. Les œuvres du peintre Kandinski sont très colorées ; je les aime beaucoup.

d. *Quai des brumes*, on l'a vu plusieurs fois à la cinémathèque Chaillot.

e. Charles Trenet, on le surnomme « le fou chantant ».

f. Tino Rossi était le chanteur préféré de nos grands-mères.

g. Tu ne connais pas les pièces de Beckett ? – Si, j'ai vu *Oh, les beaux jours*.

h. Vous ne la reconnaissez pas ? – Si, c'est Madeleine Renaud.

260 Reliez questions et réponses correspondantes (parfois plusieurs possibilités).

a. Vous aimez les B.D.* de Cabu ?

b. Tu prends ma voiture ?

c. Vous choisissez ce bouquet ?

d. Tu ne mets pas ces chaussures ?

e. Vous lisez cette revue ?

f. Vous aimez les huîtres ?

g. Vous prenez ce chemisier ?

h. Tu n'as pas la télévision ?

1. Oui, je le prends.

2. Non, je ne la veux pas.

3. Oui, je l'aime bien.

4. Non, je ne les aime pas.

261 Répondez aux questions suivantes en utilisant : *le, la, l'* ou *les*.

Exemple : Elle fait sa commande par Minitel ? → Oui, elle *la* fait par Minitel.

a. Tu utilises souvent ton fax ? → Oui, ...

b. Elle enregistre cette émission sur Arte ? → Oui, ...

c. Vous louez ce Caméscope ? → Oui, ...

d. On branche l'ordinateur ? → Oui, ...

e. Vous connaissez les CD-ROM ? → Oui, ...

f. Ils vérifient les données sur Internet ? → Oui, ...

g. Tu reçois les chaînes câblées ? → Oui, ...

h. Vous utilisez l'imprimante ? → Oui, ...

---

* B.D. : *Bande Dessinée*.

262 Remplacez les mots soulignés par *le, la, l'* ou *les*.

Exemple : On passe <u>le week-end</u> à la campagne ? → On *le* passe à la campagne ?

a. Nous faisons <u>les courses</u> avant de partir. → ....

b. Je vide <u>la voiture</u>. → ....

c. Ma femme arrose <u>le jardin</u>. → ....

d. Les enfants retrouvent <u>leurs copains</u>. → ....

e. On range un peu <u>la maison</u>. → ....

f. De temps en temps, ma femme invite <u>notre voisine</u> à déjeuner. → ....
....

g. L'après-midi, on fait <u>la sieste</u> dehors s'il fait beau. → ....

h. Le soir, on reçoit <u>nos amis</u>. → ....

263 Posez des questions correspondant aux réponses données.

Exemple : **Ils regardent la télévision le matin ?** ← Non, ils ne la regardent pas le matin.

a. .... ← Non, on ne le prend jamais à la gare de Lyon.

b. .... ← Oui, elle l'achète tous les matins.

c. .... ← Oui, il le lit de temps en temps.

d. .... ← Oui, nous les écoutons à la radio.

e. .... ← Non, il ne la prend pas ; elle est chez le garagiste.

f. .... ← Oui, on les voit souvent, au moins une fois par mois.

g. .... ← Non, je ne le prends pas souvent, je préfère le bus.

h. ....
.... ← Oui, on le rencontre tous les jours ; c'est notre boulanger.

264 Associez questions et réponses.

a. Tu veux lire ce roman ?   1. Oui, elle est capable de la conduire.

b. Elle peut conduire ta moto ?   2. Non, il ne faut pas l'allumer, il est tard.

c. On peut allumer la télé ?   3. Non, ils refusent de les faire.

d. Vous allez acheter ce tableau ?   4. Oui, elle aimerait la vendre.

e. Ils veulent faire les courses ?   5. Non, je n'ai pas envie de le lire.

f. Vous préférez prendre l'avion ?   6. Non, je ne veux pas le voir.

g. Elle veut vendre sa voiture ?   7. Oui, nous voulons l'acheter.

h. Tu as envie de voir ce film ?   8. Oui, j'aime bien le prendre.

265 Répondez aux questions suivantes en utilisant *le, la, l'* ou *les*.

Exemple : Tu veux bien écouter cet opéra ? → Oui, je veux bien *l'*écouter.

→ Non, je ne veux pas *l'*écouter.

a. Il sait utiliser le four à micro-ondes ? → Oui, ...

b. Tu dois envoyer ton CV ? → Non, ...

c. Ils veulent essayer la nouvelle Peugeot ? → Oui, ...

d. Je dois lire ton rapport ? → Oui, ...

e. Vous savez conduire ce camion ? → Non, ...

f. Tu peux soulever cette valise ? → Non, ...

g. Il veut vendre son appartement ? → Oui, ...

h. Pouvez-vous taper cette lettre rapidement ? → Oui, ...

266 Répondez en remplaçant les groupes de mots soulignés par *le* ou *l'*.

> *Exemple :* Pouvez-vous expliquer <u>où se trouve la Jordanie</u> ?
>
> → Oui, je peux *l'*expliquer.
>
> → Non, je ne peux pas *l'*expliquer.

a. Sais-tu <u>que le Centre Pompidou est fermé le mardi</u> ? → Oui, ...

b. Peut-elle demander <u>s'il fait beau au Maroc en décembre</u> ? → Oui, ...

c. Veux-tu <u>que je t'aide à déménager</u> ? → Non, ...

d. Je pourrai dire <u>que tu es en vacances</u> ? → Non, ...

e. Ton frère voudra bien <u>que je l'accompagne à l'aéroport</u> ? → Non, ...

f. Pouvez-vous assurer <u>qu'il n'y aura plus de guerres</u> ? → Non, ...

g. Peut-elle expliquer <u>où se trouve la bibliothèque François Mitterrand</u> ? → Oui, ...

h. Veux-tu relire <u>ce que tu as écrit</u> ? → Oui, ...

B. *ME, TE, NOUS, VOUS, LE, LA, L', LES, LUI ET LEUR*

267 Complétez les phrases suivantes avec *me, m', te* ou *t'*.

> *Exemple :* Tu *m'*aimes ? – Bien sûr, je *t'*adore.

a. Je peux sortir ? – Non, je ...... interdis de sortir ce soir !

b. Si tu as besoin d'aide, tu peux ...... téléphoner.

c. Je ne comprends pas ce que vous ...... demandez ! Répétez-moi votre question.

d. Si tu veux, je peux ...... expliquer cette phrase de Victor Hugo.

e. Va voir cette pièce de Giraudoux ; je ...... la recommande.

f. Mes parents ...... fatiguent ; ils répètent toujours la même chose.

g. Je n'écoute pas les informations. L'actualité ne ...... intéresse pas !

h. Il faut qu'elle ...... donne une clé, sinon tu ne pourras pas rentrer ce soir.

268 Répondez aux questions suivantes en utilisant *me, te, m', t', nous* ou *vous*.

> *Exemple :* Tu me passes Catherine ? → Oui, je *te* passe Catherine.
>
> → Non, je ne *te* passe pas Catherine.

a. Vous nous téléphonerez ? → Non, ...

b. Tu me donneras des nouvelles ? → Oui, ...

c. Je t'envoie ce colis par la poste ? → Non, ...

d. Vous nous interrogerez par écrit ? → Oui, ...

e. On te donne notre nouvelle adresse ? → Oui, ...

f. Vous m'écrirez de temps en temps ? → Oui, ...

g. Tu ne m'oublieras pas ? → Non, ...

h. Nous te posons les questions en anglais ? → Non, ...

269 Reformulez ces demandes et ces conseils sur le modèle donné.

> *Exemples :* Aidez-moi ! → Vous devez *m'*aider !
>
> Applique-toi ! → Tu dois *t'*appliquer !

a. Encouragez-nous ! → ....

b. Regarde-toi dans la glace ! → ....

c. Intéressons-nous à l'actualité ! → ....

d. Explique-moi tes problèmes ! → ....

e. Demandez-moi la permission de sortir ! → ....

f. Dites-nous ce qui vous est arrivé ! → ....

g. Écoute-nous davantage ! → ....

h. Force-toi à manger ! → ....

270 Complétez les phrases suivantes avec *me, te, t', nous, vous, le, l', la* ou *les* en tenant compte des mots soulignés.

> *Exemple :* Ce plan est pour toi ; il *te* rendra service à Paris.

a. Raconte-moi cette histoire sans .... mentir.

b. Il est tombé amoureux de Mathilde le jour où il .... a rencontrée.

c. Ce cadeau est pour vous. J'espère qu'il .... plaira.

d. J'aime bien les nouveaux voisins. On pourrait .... inviter à l'apéritif.

e. Tu me prêtes 10 euros ? Je .... les rendrai la semaine prochaine.

f. Vous ne vous souvenez pas de Brigitte ? Vous vouliez .... revoir très vite.

g. Pourquoi ne réponds-tu pas quand je te parle ? – Excuse-moi, je ne .... écoutais pas.

h. Regarde-nous. Tu .... trouves comment ?

271 Associez les éléments de réponse.

a. Tu téléphones à ta famille ?   1. téléphone une fois par semaine.

b. Vous parlez à votre voisine ?   Je le   2. parle tous les jours.

c. Tu écris à ta sœur ?   3. écris rarement.

d. Tu invites ta famille ?   Je la   4. invite le dimanche.

e. Vous prévenez votre directeur ?   5. préviens quand c'est nécessaire.

f. Tu reçois ta sœur ?   Je l'   6. reçois demain.

g. Vous posez des questions
à votre directeur ?   Je lui   7. pose parfois des questions.
                                                        8. interroge souvent.

h. Tu interroges le professeur ?

272 Complétez les phrases suivantes par *les* ou *leur*.

> *Exemple :* Qu'est-ce que tu rapportes aux enfants ? – Je *leur* rapporte des disques.

a. Connais-tu ces chanteurs depuis longtemps ? – Je .... ai découverts le mois dernier.

b. Tes parents partent seuls ? – Non, je .... accompagne à l'aéroport.

c. Que demandez-vous aux étudiants ? – On .... demande de participer aux cours.

d. Quelle réponse va-t-elle donner à ses amis ? – Elle va .... dire qu'elle est d'accord.

e. Tu vois souvent les Dubois ? – Oui, je .... rencontre presque tous les jours.

f. Vous écrivez à vos parents ? – Non, mais je .... rends souvent visite.

g. Vous interrogez souvent vos élèves ? – Oui, mais je .... pose des questions simples.

h. Tes enfants vont seuls à l'école ? – Non, je .... emmène en voiture.

273 **Cochez ce que le pronom complément remplace (parfois plusieurs réponses possibles).**

Exemple : Ils l'écoutent avec attention.

        1. ☐ les conseils   **2.** ☒ le professeur   **3.** ☐ à cette journaliste

a. Tu lui réponds mal.

    1. ☐ à tes copains   **2.** ☐ au téléphone   **3.** ☐ à ta mère

b. Vous leur posez des questions ?

    1. ☐ à M. Bernard   **2.** ☐ aux médecins   **3.** ☐ à Alice

c. Elle les met au courant des nouveautés.

    1. ☐ ses amies québécoises   **2.** ☐ à ses sœurs   **3.** ☐ sa collègue

d. Je l'invite au café-théâtre.

    1. ☐ à ma copine   **2.** ☐ mon cousin   **3.** ☐ son frère

e. Elle lui a donné rendez-vous à la brasserie Flo.

    1. ☐ à Sophie et Jean   **2.** ☐ à Pierre   **3.** ☐ à son professeur

f. Ils l'ont contacté par téléphone.

    1. ☐ le vendeur   **2.** ☐ nos étudiants   **3.** ☐ à la bibliothécaire

g. Nous les emmenons au bord de la mer.

    1. ☐ nos cousins de Lyon   **2.** ☐ aux enfants   **3.** ☐ Marie Dufour

h. Vous le conduirez à l'Hôtel de l'Europe.

    1. ☐ aux clients   **2.** ☐ Mme Vallet   **3.** ☐ notre directeur

274 **Posez des questions en tenant compte des réponses données.**

Exemple : ***Il offre une bague à sa femme ?*** ← Oui, il lui offre une bague.

a. .... ← Oui, elle leur enseigne le français.

b. .... ← Oui, on la croise souvent dans la rue.

c. .... ← Non, je ne les connais pas.

d. .... ← Oui, nous l'invitons quelquefois.

e. ....

.... ← Non, je ne leur ai pas montré l'Arc de triomphe.

f. .... ← Oui, elle lui passera un coup de fil demain.

g. .... ← Non, je ne le préviens pas de notre arrivée.

h. .... ← Oui, nous lui avons indiqué le chemin.

C. *MOI, TOI, LUI, ELLE, NOUS, VOUS, EUX ET ELLES*

275 Complétez les phrases suivantes par des pronoms en tenant compte des éléments soulignés.

Exemple : **Moi**, je vais bien et **toi**, tu passes de bonnes vacances ?

a. Pierre, ..., il est parti pour le Portugal.

b. ...., nous préférons rester en France.

c. Caroline, ..., prépare le concours d'entrée aux Beaux-Arts.

d. Et ...., que faites-vous en août ?

e. Mes parents, ..., ils passent quinze jours dans les Landes.

f. Quant à mes sœurs, ..., elles voyagent à travers l'Europe.

g. Anne et Michel, ..., vont rendre visite à leurs amis espagnols.

h. Et ...., j'adore Paris l'été.

276 Utilisez les pronoms après les prépositions.

Exemple : Je t'attends, viens chez **moi** quand tu veux.

a. Si tu as envie d'emmener tes sœurs, viens avec ....

b. La semaine prochaine, c'est l'anniversaire de Paul ; ce cadeau est pour ....

c. Elle n'habite plus chez ses parents mais elle a pris un studio à côté d'...............

d. Christine n'est pas drôle ; à cause d'..............., on est arrivé en retard au théâtre.

e. J'ai rencontré les Mareck ; c'est par .... que j'ai appris votre mariage.

f. Heureusement que tu l'as aidée. Grâce à ...., elle a réussi son examen.

g. Je voudrais le connaître, parle-lui de .... quand tu le verras.

h. Si tu penses à ...., donne-nous de tes nouvelles, ça nous fera plaisir.

277 Répondez aux questions suivantes en employant un pronom.

Exemple : Tu viens avec nous ? → Oui, je viens avec **vous**.

a. Vous nous donnez rendez-vous à midi ? → Oui, ...

b. Elle fait ce tableau pour ses parents ? → Oui, ...

c. Tu voyages avec Catherine cette année ? → Oui, ...

d. Tu habites à côté de cette actrice ? → Oui, ...

e. Vous avez choisi ce disque pour Nicolas ? → Oui, ...

f. Elle marche devant ses amies ? → Oui, ...

g. Ton mari est près de toi ? → Oui, ...

h. Nous dînerons sans Michèle et toi ? → Oui, ...

D. LES PRONOMS *EN* ET *Y*

278 Répondez aux questions suivantes en utilisant *y*.

Exemples : Émilie fait un voyage à Venise ? → Oui, elle **y** fait un voyage.
Raphaël vit en Angleterre ? → Non, il n'**y** vit pas.

a. Vous travaillez chez Renault ? → Oui, ...

b. Elle entre cette année à la fac ? → Oui, ...

c. On se retrouve au Bar des Amis ? → Oui, ...

d. Tu passes une semaine au Maroc cet hiver ? → Non, ...

e. Ces adolescents font leurs études à Boston ? → Oui, ...

f. Tu vas à l'école aujourd'hui ? → Non, ...

g. Sylvie habite rue de Buci ? → Oui, ...

h. On déjeune au restaurant universitaire à midi ? → D'accord, ...

279 Répondez aux questions suivantes en utilisant *y*.

Exemples : Vous passez vos vacances en Autriche ? → Oui, nous **y** passons nos vacances.
Il a rencontré sa femme au Nigéria ? → Oui, il **y** a rencontré sa femme.

a. Tes amis louent une maison sur la Côte d'Azur ? → Oui, ...

b. Martine habite au bord de la mer ? → Oui, ...

c. Ils restent une semaine à Barcelone ? → Oui, ...

d. Vous avez skié dans les Alpes ? → Oui, ...

e. Ton frère fait une colonie de vacances en Bretagne ? → Oui, ...

f. Tu es passée au supermarché ? → Oui, ...

g. Ton amie partira bientôt pour les Antilles ? → Oui, ...

h. Les enfants ont marché sur la pelouse ? → Oui, ...

280 Répondez aux questions suivantes en employant le pronom *en*.

Exemple : Elle vient de Tahiti ? → Oui, elle **en** vient.

a. Tu sors du bureau ? → Oui, ...

b. Ton professeur part de l'université de bonne heure ? → Oui, ...

c. Ta mère vient d'Italie ? → Oui, ...

d. Les enfants rentrent de l'école à 16 heures ? → Oui, ...

e. Vous recevez des nouvelles du Vietnam ? → Oui, ...

f. Vous revenez de Corse ? → Oui, ...

g. Il sort de la bibliothèque ? → Oui, ...

h. Ces étudiants reviennent du centre des examens ? → Oui, ...

281 Mettez en relation questions et réponses.

a. Tu veux un café ?

b. Tu veux des cerises ?

c. Vous prenez de l'essence ?   1. J'en prends.

d. Une tarte, vous voulez ?   2. J'en prends un.

e. Tu fumes des cigares ?   3. J'en prends une.

f. Tu bois de la bière ?   4. J'en prends quelques-uns.

g. Tu manges des bonbons ?   5. J'en prends quelques-unes.

h. Voulez-vous une tisane ?

282 Répondez aux questions suivantes en employant *en*.

Exemples : Ils ont beaucoup d'argent ? → Non, ils n'**en** ont pas beaucoup.

Vous avez peu de temps libre ? → Oui, j'**en** ai peu.

a. Ils achètent trop de vêtements ? → Oui, ...

b. Il reste quelques fruits ? → Oui, ...

c. Mme Lariven a beaucoup de travail ? → Non, ...

d. Jean-Marc fait trop de sport ? → Oui, ...

e. Vous avez assez de monnaie ? → Non, ...

f. Ces étudiants suivent peu de cours ? → Oui, ...

g. Elle boit assez d'eau ? → Non, ...

h. Tu as suffisamment d'essence ? → Non, ...

283 Lisez ces phrases et cochez ce que *y* ou *en* remplace.

Exemple : Non, je n'<u>en</u> achète pas souvent.

1. ☐ au supermarché   2. ☒ du vin   3. ☐ les fromages

a. Aline n'<u>y</u> va pas souvent.   **1.** ☐ en taxi   **2.** ☐ à la patinoire   **3.** ☐ avec ses amis

b. Son fils <u>en</u> mange quelques-uns ?   **1.** ☐ des bonbons   **2.** ☐ du chocolat   **3.** ☐ des glaces

c. Non, il n'<u>en</u> trouve pas souvent.   **1.** ☐ en Suisse   **2.** ☐ les champignons   **3.** ☐ du muguet

d. Ma voisine <u>en</u> prend ?   **1.** ☐ les enfants   **2.** ☐ du Portugal   **3.** ☐ des auto-stoppeurs

e. On <u>y</u> envoie les enfants chaque année.   **1.** ☐ de la classe de neige   **2.** ☐ à Nice   **3.** ☐ en train

f. Désolée, j'<u>en</u> ai trop pris.   **1.** ☐ le métro   **2.** ☐ les transports en commun   **3.** ☐ du gâteau

g. J'<u>en</u> reviens à l'instant.   **1.** ☐ des grands magasins   **2.** ☐ à Paris   **3.** ☐ au bord de la mer

h. Elle <u>y</u> achète tout.   **1.** ☐ ses courses   **2.** ☐ du marché   **3.** ☐ au supermarché

E. LES PRONOMS ET L'IMPÉRATIF

284 Associez ces phrases.

a. J'ai envie de chocolats.

b. Nous pouvons prendre une demi-bouteille ?

c. Nous avons envie de lire ce roman.

d. Nous aimerions faire des courses.

e. J'ai envie de téléphoner à ta sœur.

f. Je voudrais lire cette bibliographie.

g. Nous aimerions téléphoner à nos amis belges.

h. On aimerait faire ce voyage.

1. Faites-en !

2. Prenez-en une !

3. Prends-en !

4. Téléphonez-leur !

5. Faites-le !

6. Lisez-le !

7. Téléphone-lui !

8. Lis-la !

285 Donnez l'ordre inverse en faisant attention aux mots soulignés.

Exemples : Racontez-<u>moi</u> vos aventures. → Ne *me* racontez pas vos aventures.

Ne regarde pas <u>la télé</u>. → Regarde-*la*.

a. Écoute <u>cet enregistrement</u>. → ....

b. Ne <u>me</u> dis pas la vérité. → ....

c. Partons <u>pour l'Angleterre</u>. → ....

d. Ne mettez pas <u>ce pull</u>. → ....

e. Buvez <u>de l'eau</u> ! → ....

f. Ne prenez pas <u>le métro</u> aujourd'hui. → ....

g. Téléphone-<u>nous</u> plus souvent. → ....

h. Accompagne <u>les enfants</u> à l'école. → ....

F. LA PLACE DU PRONOM

286 Répondez aux questions suivantes en utilisant des pronoms.

Exemple : Avez-vous vu ce film ? → (+) Oui, je *l'*ai vu.

→ (−) Non, je ne *l'*ai pas vu.

a. Céline a-t-elle emporté son sac ? (−) → ....

b. Êtes-vous passé à la banque ? (+) → ....

c. Vos amis ont-ils aimé ce restaurant ? (+) → ....

d. Les étudiants se sont-ils inscrits à l'université ? (−) → ....

e. Vous avez pris des fruits ? (−) → ....

f. Avez-vous travaillé à l'usine ? (+) → ....

g. Antoine a acheté un vélo d'occasion ? (+) → ....

h. As-tu revu ton copain ? (−) → ....

287 Réécrivez ces phrases en remplaçant les mots soulignés par des pronoms.

Exemple : Elle a envie de voir <u>cette pièce</u> ? → Elle a envie de *la* voir ?

a. Elle voudrait parler <u>à M. Bouygues</u>. → ....

b. Je vais acheter <u>des fruits</u>. → ....

c. Il n'a pas pu visiter <u>le musée Picasso</u>. → ....

d. Elle ne devait pas fermer <u>la porte</u>. → ....

e. Nous préférons acheter <u>quelques magazines</u>. → ....

f. Il souhaite aller <u>à New York</u>. → ....

g. On déteste prendre <u>le café</u> dehors. → ....

h. Je ne peux pas téléphoner <u>à ces gens</u>. → ....

288 Remettez ces phrases dans l'ordre.

Exemple : le/viens/de/je/rencontrer → *Je viens de le rencontrer.*

a. dites/personne/ne/à/le → ....

b. le/Catherine/faire/ne/pas/peut → ....

c. voulons/y/nous/aller → ....

d. l'/pas/a/il/ne/pris → ....

e. nous/donnez/ne/pas/ça → ....

f. de/refuse/écrire/je/lui → ....

g. portez/les/ne/pas → ....

h. vendu/ne/il/a/pas/l' → ....

Bilans

289 Rayez ce qui ne convient pas.

Chère Patricia, cher Michel,

*Nous venons de passer quelques jours très agréables avec toi/te/vous/eux/leur **(1)** mais il faut bien penser au travail et nous devons en/y/le/lui **(2)** retourner. Nous avons pris quelques photos et nous vous les/la/en **(3)** envoyons une très réussie de nous quatre. Vous ne connaissez pas bien Paris et nous espérons que vous pourrez bientôt en/y **(4)** venir. Sur le chemin du retour, nous avons fait une très belle promenade en forêt et nous la/l'/lui/en **(5)** avons encore plus aimée parce que nous avons trouvé plein de champignons. Pour ça, nous avons eu de la chance mais il faut dire aussi que nous en/ la/y **(6)** avons eu avec le temps ; ces magnifiques champignons, nous les/en/leur/y **(7)** avons mangés en arrivant.*

*Tu sais Patricia, j'avais un joli pull blanc, je crois que je/j' **(8)** le/en/lui/l' **(9)** ai oublié sur une chaise dans la chambre. Pourrais-tu me/moi **(10)** le/en/l' **(11)** envoyer par la* *poste ? Nous avons été très contents de te/vous/toi (12) revoir tous les deux et de rencontrer vos petits cousins. Nous les/leur/eux (13) avons trouvés amusants. Quand vous les/leur/eux (14) reverrez, faites-les/leur/eux (15) la bise de notre part.*

Nous toi/te/vous (16) remercions encore et nous vous/te/nous/toi (17) embrassons.
À très bientôt !
Gilles et Isabelle

290 **Complétez ces réponses en employant des pronoms compléments.**

Discussion entre deux amies :
– Combien de temps vas-tu en Andalousie ?
– J'........ (1) vais 5 jours.
– Tu pars avec ton mari ?
– Non, il ne vient pas avec .... (2). Il travaille, ... (3). Alors je pars seule.
– Tu connais des gens là-bas ?
– Oui, j'ai une amie à Séville, je vais .... (4) téléphoner pour .... (5) prévenir de mon arrivée. Je crois qu'elle viendra .... (6) chercher à l'aéroport.
– Et elle va .... (7) faire visiter la ville ?
– Oui, je pense que ça .... (8) fera plaisir de .... (9) montrer sa ville. Et en plus, au printemps, c'est très agréable de s'........ (10) promener. Elle .... (11) .... (12) a souvent dit !
– Tu as bien de la chance ! Tu penseras à .... (13) envoyer une carte postale ?
– Bien sûr, je ne .... (14) oublierai pas. Il faut aussi que je téléphone à mes parents ; je ne .... (15) ai pas encore dit que je pars en Espagne. .... (16), ils viennent de faire un petit voyage en Grèce, ils .... (17) sont très contents. Je .... (18) laisse, je dois rentrer chez .... (19).
– Bon voyage ! Et raconte-........ (20) tout à ton retour !
– Merci, à bientôt.
– Je .... (21) téléphone quand je rentre.

IX. LE PASSÉ

Paris ne s'est pas fait en un jour.

A. LE PASSÉ RÉCENT

291 Soulignez les verbes au passé récent.

Exemples : Ils <u>viennent de s'endormir</u>. Tu viens avec nous.

a. Je viens de commencer ce livre.
b. Ces fruits viennent d'Israël.
c. Le vol AF 312 vient de Madrid.
d. L'avion pour Mexico vient de décoller.
e. Les enfants viennent de rentrer de l'école.
f. Je viens de la piscine.
g. On vient de rencontrer Mme Roux.
h. Elle vient de comprendre l'exercice.

292 Complétez les phrases en mettant le verbe entre parenthèses au passé récent.

Exemple : Le SMIC **vient d'augmenter** (augmenter) de 4 % en juillet dernier.

a. La Caisse d'Allocations Familiales .... (créer) un nouveau service d'information.
b. Le dollar .... (perdre) 0,1 cent à la Bourse aujourd'hui.
c. La mairie de Paris .... (ouvrir) une nouvelle crèche dans le 14ᵉ arrondissement.
d. Le nouveau président de la République .... (faire) un discours à la télévision.
e. Le ministre de la Défense .... (démissionner).
f. On .... (annoncer) une forte tempête sur Saint-Martin.
g. La grève de la RATP .... (commencer).
h. On .... (inaugurer) une cathédrale à Évry.

293 Répondez aux questions suivantes.

Exemple : Tu téléphones maintenant ? → Non, **je viens de téléphoner**.

a. Elle déjeune maintenant ? → Non, ...
b. Vous arrivez maintenant ? → Non, ...
c. Le train part maintenant ? → Non, ...
d. Vos voisins déménagent maintenant ? → Non, ...
e. Vous regardez ce film maintenant ? → Non, ...
f. Tu lis ce livre maintenant ? → Non, ...
g. Tu fais les courses maintenant ? → Non, ...
h. Nous signons le contrat maintenant ? → Non, ...

294 Répondez plus précisément à ces questions.

Exemple : Élise est sortie ? → Oui, *elle vient de sortir*.

a. Tu as compris cette blague ? → Oui, ...

b. Ils ont fini leurs devoirs ? → Oui, ...

c. Tu es rentrée chez toi ? → Oui, ...

d. Elle a pris ses médicaments ? → Oui, ...

e. Vous êtes allés à la banque ? → Oui, ...

f. Je suis passé devant votre magasin ? → Oui, ...

g. Elles ont branché l'ordinateur ? → Oui, ...

h. Tu as pris un café ? → Oui, ...

B. LE PASSÉ COMPOSÉ

295 Donnez le participe passé de ces verbes au présent.

Exemples : Je chante, j'ai **chanté**.   Il gèle, il a **gelé**.

a. Je danse, j'ai ....   b. On donne, on a ....

c. Tu joues, tu as ....   d. Nous mangeons, nous avons ....

e. Elle parle, elle a ....   f. Vous appelez, vous avez ....

g. Il jette, il a ....   h. J'étudie, j'ai ....

296 Donnez le participe passé de ces verbes à l'infinitif.

Exemples : finir → **fini**   comprendre → **compris**

a. écrire → ....   b. répondre → ....

c. grossir → ....   d. lire → ....

e. apprendre → ....   f. croire → ....

g. savoir → ....   h. admettre → ....

297 Donnez l'infinitif de ces verbes au passé composé.

Exemple : Ils ont dû prendre un taxi. → **devoir**

a. Nous avons mis la table. → ....

b. J'ai entendu le téléphone. → ....

c. Ils ont fait le ménage. → ....

d. On a éteint la lumière ? → ....

e. Elle est venue nous voir. → ....

f. Vous avez bien répondu à la question ? → ....

g. Ma sœur a réussi son concours. → ....

h. Tu as vu le dernier film de Chabrol ? → ....

298 Réécrivez ces phrases au présent.

Exemple : Il a plu. → *Il pleut*.

a. Nous avons pu écouter ce concert. → ....

b. J'ai cru Marc. → ....

c. Elle a voulu un gâteau. → ....

d. Il a choisi un disque de Brel. → ....

e. Vous avez lu le dernier roman de Sollers ? → ....

f. Ils ont découvert le vaccin contre le Sida ? → ....

g. On a compris ce dialogue. → ....

h. J'ai attendu quinze minutes devant chez toi. → ....

299 Rayez ce qui ne convient pas.

Exemple : Elles ont ~~prendre~~/pris le métro.

a. Vous avez vouloir/voulu ce disque, le voici !

b. Il est revenu/revenir plus tôt que prévu.

c. Nous avons voir/vu un excellent film.

d. J'ai compris/comprendre le sens de cette phrase d'Albert Camus.

e. Elle a bien apprendre/appris sa leçon.

f. J'ai réussir/réussi mon examen de conduite.

g. On a pu/pouvoir visiter l'exposition Matisse.

h. Tu as dû/devoir arriver en retard à ton rendez-vous !

300 Écrivez ces phrases au passé composé.

Exemple : Nous voyageons en Provence.→ Nous *avons voyagé* en Provence.

a. Ils aiment la chaleur. → ....

b. Vous faites des promenades en Camargue. → ....

c. On goûte les plats typiques. → ....

d. Vous voyez le massif des Maures. → ....

e. Elle apprend la recette de la salade niçoise. → ....

f. Nous visitons Avignon. → ....

g. Tu joues aux boules à Aix. → ....

h. Je découvre les villages du Lubéron. → ....

301 Remplacez le passé récent par le passé composé.

Exemple : Elle vient de jouer *La Vie en rose*. → Elle *a joué* La Vie en rose.

a. Tu viens d'entendre une chanson d'Yves Montand. → ....

b. Elles viennent d'écouter un poème de Jacques Prévert. → ....
....

c. On vient de voir *Huis clos* de Jean-Paul Sartre. → ....

d. Nous venons de voir *Le Malade imaginaire*. → ....

e. Je viens de revoir *Casque d'or* de Jacques Becker. → ....
....

f. Il vient de relire *Le Rouge et le noir*. → ....

g. Je viens de passer un bon moment en lisant *Les Frustrés* de Brétecher. → ....

....

h. Vous venez de découvrir l'humour de Guy Bedos. → ....

302 Écrivez au passé composé le verbe entre parenthèses.

   Exemple : En 1739, Réaumur *a fait* (faire) le premier thermomètre.

a. Au XVIIIe siècle, Parmentier .... (développer) la culture de la pomme de terre en France.

b. En 1820, Pelletier et Caventou .... (découvrir) la quinine.

c. C'est Champollion qui .... (réussir) à lire l'écriture égyptienne.

d. Pierre et Marie Curie .... (recevoir) deux fois le prix Nobel, en 1903 et 1911.

e. En 1909, Louis Blériot .... (traverser) la Manche en avion.

 f. C'est Dominique Papin qui .... (savoir) utiliser la force de la vapeur.

g. Colbert .... (créer) l'Académie des sciences en 1666.

h. Les frères Montgolfier .... (construire) les premiers ballons pour voyager en 1783.

303 Lisez ce petit texte et soulignez les verbes qui emploient *être* au passé composé.

Tintin <u>est né</u> en 1929. Ce jeune reporter a voyagé dans le monde entier ; il est monté au sommet de l'Himalaya, il est descendu au fond des mers, il a exploré la jungle ; c'est ainsi qu'il est devenu un héros international. S'il est souvent tombé dans des pièges, ses amis l'ont toujours aidé à s'en sortir. C'est vrai qu'il est sorti de toutes les situations difficiles, même quand il est allé en Chine ou chez les Soviets. Il lui est arrivé de nombreuses aventures et Hergé en est toujours resté le seul maître. Même si Hergé est mort en 1983, les aventures de Tintin, traduites en 42 langues, sont venues et viennent encore rythmer nos rêves d'adolescents.

304 Complétez les phrases suivantes par *est* ou *a*.

   Exemples : Elle *est* arrivée en retard ce matin.

          On *a* pris un taxi hier soir.

a. Elle .... acheté une nouvelle voiture le mois dernier.

b. La semaine dernière, il .... invité ses amis au restaurant.

c. Hier matin, elle .... partie au Brésil.

d. Samedi dernier, il .... eu 40 ans.

e. L'année dernière, il .... allé au Portugal pendant les vacances.

 f. À midi, elle .... déjeuné avec son frère.

g. Il y a trois ans, il .... passé son bac.

h. Elle .... étudié le français pendant trois ans à Tours.

305 Complétez les phrases suivantes par *ont* ou *sont*.

   Exemples : Elles *ont* bien dormi.   Ils *sont* devenus amis.

a. Elles .... parties au bureau.	b. Ils .... travaillé toute la journée.
c. Ils .... sortis de bonne heure.	d. Elles .... tombées d'accord.
e. Ils .... pris leur douche à 7 heures.	f. Elles .... venues à Paris.
g. Elles .... dîné ensemble.	h. Ils .... rentrés tard.

306 Complétez les phrases suivantes par *être* ou *avoir*.

> *Exemples :* Jean *est* arrivé à Paris la semaine dernière.
>
> Il *a* pris un bon hôtel au Quartier latin.

a. Il .... téléphoné à ses amis.

b. Ses amis l'............ invité chez eux.

c. Ils .... venus le chercher en voiture.

d. Après le déjeuner, ils .... allés au musée du Louvre.

e. Ils .... visité l'aile Richelieu.

f. Ils .... vu la Joconde. Elle est superbe.

g. La visite .... duré environ deux heures.

h. Enfin, ils .... pris une bière ensemble pour se reposer.

307 Réécrivez ces phrases au passé composé.

> *Exemple :* Auguste Rodin naît à Paris en 1840. → Il *est né* en 1840.

a. Il suit des cours de dessin à partir de 1854. → ....

b. En 1858, il devient mouleur pour gagner sa vie. → ....

c. Il rencontre Rose, sa future femme, en 1864. → ....

d. Il fait la guerre de 1870. → ....

e. À partir de 1880, il entreprend ses grandes œuvres : *la Porte de l'Enfer, le Penseur.*

  → ....

f. Il obtient ensuite un atelier où il rencontre Camille Claudel. → ....

  ....

g. En 1887, il reçoit la Légion d'honneur et connaît la gloire. → ....

  ....

h. Il vit une grande carrière de sculpteur et il meurt le 17 novembre 1917. → ....

  ....

308 Observez les exemples et complétez les participes passés si nécessaire.

> *Exemples :* Elle est né**e** en 1815. Ils sont venu**s** à la maison.
>
> Elle a fait des études scientifiques. Ils ont écouté une chanson de Cabrel.

a. Ils ont choisi... de partir pour la Jordanie.

b. Elle a adoré... le concert de Dutronc.

c. Elle est allé... faire des courses.

d. Elles sont descendu... à Cannes pour le week-end.

e. Elle a changé... de métier.

f. Ils sont devenu... fous de la montagne.

g. Elle est rentré... à quelle heure ?

h. Ils n'ont pas voulu... venir avec nous.

309 Complétez les terminaisons des participes passés s'il y a lieu.

Exemples : Simone de Beauvoir est mort**e** en 1986.

Elle a écrit *Les Mandarins*.

a. Sarah Bernhardt a joué... de nombreux rôles masculins au théâtre.

b. Zizi Jeanmaire est devenu... célèbre par sa chanson *Mon Truc en plumes*.

c. Édith Piaf a mené... une vie très mouvementée.

d. Marguerite Duras est né... en 1914.

e. Camille Claudel a vécu... une existence difficile.

f. Juliette Gréco a chanté... des textes de Jacques Prévert.

g. Colette, par ses romans, a souvent choqué... ses contemporains.

h. Mireille Mathieu a donné... des concerts en Chine.

310 Cochez la forme correcte.

Exemple : J'ai ☐ *croisée* ☒ *croisé* ☐ *croisés* Suzanne, une vieille amie.

a. Elle a ☐ *découverte* ☐ *découvertes* ☐ *découvert* un beau village.

b. Elles ont ☐ *passé* ☐ *passés* ☐ *passées* quelques jours au bord de la mer.

c. Ils sont ☐ *resté* ☐ *restées* ☐ *restés* chez eux dimanche.

d. Elle a ☐ *lancé* ☐ *lancée* ☐ *lancées* une nouvelle mode.

e. Ce matin, ils sont ☐ *parti* ☐ *parties* ☐ *partis* en avance ?

f. Nos parents ont ☐ *descendues* ☐ *descendu* ☐ *descendus* les valises.

g. Elle est ☐ *allée* ☐ *allées* ☐ *allé* au théâtre avec une copine.

h. Ils ont ☐ *passées* ☐ *passés* ☐ *passé* la soirée ensemble.

311 Singulier/Pluriel. Transformez les phrases sur le modèle donné.

Exemple : Il a bricolé le week-end dernier. → *Ils ont bricolé* le week-end dernier.

a. Elle a rendu visite à des amis. → ....

b. Tu es partie à la campagne ? → ....

c. J'ai vu un beau film à la télé. → ....

d. Elle est allée en discothèque. → ....

e. Tu as nettoyé le jardin ? → ....

f. Il est passé chez nous pour enregistrer un disque. → ....

....

g. Elle a fait une jolie promenade. → ....

h. Je suis rentrée de bonne heure aujourd'hui. → ....

312 Transformez ces phrases sur le modèle donné.

Exemple : Elle a porté cette robe chez le teinturier.

→ Cette robe, elle l'a port**ée** chez le teinturier.

a. Il a acheté ce costume. → ....

b. On a rangé l'armoire. → ....

c. J'ai repassé cette chemise. → ....

d. Elle a plié ces pull-overs. → ....

e. Il a recousu son bouton de veste. → ....

f. Elle a ciré ses chaussures. → ....

g. J'ai lavé ces chaussettes. → ....

h. Tu as nettoyé ton imperméable ? → ....

313 | **Reliez les éléments pour en faire des phrases (parfois plusieurs possibilités).**

a. Cette nouvelle,   1. que je n'ai jamais vus sont étrangers.

b. Le bibliothécaire,   2. elle les a achetés à la Fnac.

c. Ses livres,   3. je l'ai lue l'an dernier.

d. Le professeur d'anglais   4. je ne l'ai pas bien comprise.

e. Mon bureau,   5. que j'ai perdue était très importante pour moi.

f. Ces étudiants   6. on l'a croisé ce matin dans la rue.

g. Votre explication,   7. que j'ai eu l'an dernier venait de Brighton.

h. La bibliographie   8. je l'ai déjà rangé.

314 | **Écrivez ces phrases au passé composé.**

Exemple : Nathalie se réveille à 7 heures. → Nathalie *s'est réveillée* à 7 heures.

a. Elle se lève quelques minutes plus tard. → ....

b. Peu après, elle se douche. → ....

c. Ensuite, elle s'habille. → ....

d. Puis, elle se coiffe. → ....

e. Enfin, elle se maquille. → ....

f. À 8 heures, elle se dépêche de prendre son petit déjeuner. → ....

....

g. Elle se prépare à partir vers 8 h 20. → ....

h. À 8 h 30, elle se dirige vers la station de métro. → ....

315 | **Voici comment Paul, étudiant, a passé sa soirée. Racontez au passé à partir des éléments donnés.**

Exemple : Se précipiter sur sa Mobylette à 18 heures.

→ Il *s'est précipité* sur sa Mobylette...

a. Se rendre dans sa chambre d'étudiant. → ....

b. S'allonger sur son lit en arrivant. → ....

c. Se reposer une petite demi-heure. → ....

d. S'inquiéter de son dîner. → ....

e. S'inviter chez sa sœur. → ....

f. Se changer avant de sortir. → ....

g. Se retrouver avec plaisir. (tous les deux) → ....

h. Se coucher très tard dans la nuit. (tous les deux) → ....

316 Adèle est secrétaire. Racontez sa journée au passé composé. Attention aux accords des participes passés.

> *Exemple :* Elle arrive à son bureau à 9 h 15. → Elle **est arrivée** à son bureau à 9 h 15.

a. Elle embrasse ses collègues. → ....

b. Elle s'assoit et ouvre son courrier. → ....

c. Elle se met au travail vers 9 h 30. → ....

d. Elle fait une pause dans la matinée et elle prend un thé. → ....
....

e. Elle répond au courrier, classe des documents et s'occupe du standard. → ....
....

f. Elle s'arrête à midi et achète un sandwich. → ....

g. Elle quitte le bureau à 18 heures. → ....

h. À ce moment-là, elle se dirige vers le métro pour passer la soirée chez elle. → ....
....

317 Faites des réponses négatives selon le modèle donné.

> *Exemple :* Vous êtes passé au centre Télécom ? → **Je ne suis pas passé** au centre Télécom.

a. Vous avez utilisé le fax ? → ....

b. Elle a demandé le Minitel ? → ....

c. On a installé le téléphone ? → ....

d. Il s'est servi du téléphone portable ? → ....

e. Vous avez reçu la facture du téléphone ? → ....

f. Elle a su utiliser le répondeur ? → ....

g. Tu as laissé un message ? → ....

h. Ils ont envoyé une télécopie ? → ....

318 Écrivez ces phrases au passé composé.

> *Exemples :* Je ne comprends rien. → Je n'**ai** rien **compris**.
>
> Elle ne reçoit personne. → Elle n'**a reçu** personne.

a. Ils ne veulent rien. → ....

b. On n'invite personne samedi soir. → ....

c. Tu n'achètes rien ? → ....

d. Elle ne croise personne dans l'escalier. → ....

e. Vous n'entendez rien ? → ....

f. On ne mange rien ce soir. → ....

g. Nous n'écrivons à personne. → ....

h. Il ne s'occupe de rien. → ....

319 Soyez curieux ! Posez des questions sur leur rencontre.

> *Exemple :* **Où se sont-ils rencontrés ?** ← Dans un café, près du Capitole.

a. .... ← Non, ils ne se sont pas parlé tout de suite.

b. .... ← Oui, ils se sont regardés.

c. .... ← Oui, il s'est approché d'elle.

d. .... ← Oui, elle lui a proposé de s'asseoir.

e. .... ← Oui, il lui a offert un café.

f. .... ← Non, elle est partie peu de temps après.

g. .... ← Oui, ils se sont revus tous les jours.

h. .... ← Oui, ils se sont mariés la semaine dernière.

320 Posez des questions sur les loisirs.

*Exemple : **Avez-vous regardé la TV hier soir ?*** ← Oui, hier soir, j'ai vu un film sur France 2.

a. .... ← Non, cette semaine, je ne suis pas allée au cinéma.

b. .... ← Oui, j'ai fait du sport samedi matin.

c. .... ← Oui, j'ai fait une heure de natation avec une amie.

d. .... ← Oui, j'ai acheté trois magazines cette semaine.

e. .... ← J'ai acheté *Elle* et *Le Nouvel Observateur*.

f. .... ← Le week-end dernier, je suis allée chez mes parents.

g. .... ← J'ai discuté avec ma mère et nous avons jardiné.

h. .... ← Oui, j'ai visité l'exposition Cézanne, jeudi en nocturne.

321 Répondez à ces questions en utilisant l'adverbe entre parenthèses.

Exemples : A-t-elle dormi dans le train ? (bien) → Oui, elle a ***bien*** dormi dans le train.

Ont-ils répondu à la question ? (correctement) → Non, ils n'ont pas répondu ***correctement*** à la question.

a. Avez-vous progressé ce trimestre ? (beaucoup) → Oui, ...

b. A-t-elle regardé la télévision ? (souvent) → Non, ...

c. Ont-ils joué au tennis hier soir ? (un peu) → Oui, ...

d. Les enfants ont-ils déjeuné ce matin ? (bien) → Non, ...

e. Êtes-vous allés au cinéma ce mois-ci ? (souvent) → Oui, ...

f. A-t-il mangé ce soir ? (trop) → Oui, ...

g. Ont-ils suivi les cours d'histoire ? (régulièrement) → Oui, ...

h. Avez-vous maigri cette semaine ? (assez) → Non, ...

C. L'IMPARFAIT

322 Remplacez le présent par l'imparfait.

Exemple : Aujourd'hui, tu joues du piano ? → Il y a 5 ans, tu ***jouais*** du piano ?

a. Aujourd'hui, je vais à l'université. → Il y a 5 ans, ...

b. Aujourd'hui, vous êtes marié. → Il y a 20 ans, ...

c. Aujourd'hui, ils ont des problèmes. → Il y a 2 ans, ...

d. Aujourd'hui, on travaille de bonne heure. → Il y a 20 ans, ...

e. Aujourd'hui, on voit des amis. → Il y a 1 an, ...

f. Aujourd'hui, elle fait du ski. → Il y a 10 ans, ...

g. Aujourd'hui, tu parles anglais. → Il y a 3 ans, ...

h. Aujourd'hui, nous écoutons la radio. → Il y a 20 ans, ...

323 Singulier/Pluriel. Réécrivez ces phrases sur le modèle donné.

   Exemple :   Elle bavardait beaucoup. → ***Elles bavardaient*** beaucoup.

a. Tu mettais de beaux vêtements le dimanche. → ....

b. Je voulais réussir dans la vie. → ....

c. Elle devait travailler tard le soir. → ....

d. Tu allumais le feu tous les matins. → ....

e. Il ne pouvait pas toujours répondre → ....

f. Je mettais la table à chaque repas. → ....

g. Tu déménageais souvent. → ....

h. Elle faisait quelquefois la cuisine ? → ....

324 Mettez les verbes entre parenthèses à l'imparfait.

   Exemple :   On ***habitait*** (habiter) dans un village.

a. Mon père .... (être) ouvrier.

b. Il .... (partir) travailler de bonne heure.

c. Ma mère .... (se lever) en même temps que mon père.

d. Les enfants .... (aller) à l'école tous ensemble.

e. Nous ne .... (rentrer) pas à midi.

f. Le soir, nous .... (pouvoir) jouer après les devoirs.

g. On .... (prendre) le repas du soir dans la cuisine.

h. Nous .... (se coucher) de bonne heure.

325 À partir des éléments donnés, racontez la vie des Français au début du siècle dernier. Utilisez l'imparfait.

   Exemple :   Les femmes se marient avant 20 ans. → Les femmes ***se mariaient*** avant 20 ans.

a. Les enfants naissent à la maison. → ....

b. Plusieurs générations vivent sous le même toit. → ....

c. On travaille souvent plus de 50 heures par semaine. → ....

d. Les vacances n'existent pas encore. → ....

e. Nous nous nourrissons essentiellement de pain. → ....

f. Les filles aident leur mère à la maison. → ....

g. Les garçons étudient davantage que leurs sœurs. → ....

h. On accorde très peu d'importance aux loisirs. → ....

326 Rendez compte des changements depuis le début du siècle dernier. Faites des phrases sur le modèle donné.

   Exemple :   Aujourd'hui, en train, il faut quatre heures pour faire Paris-Marseille.

   → À ce moment-là, il ***ne fallait pas*** quatre heures pour faire Paris-Marseille.

a. Aujourd'hui, on peut téléphoner à l'autre bout de la terre.

→ À ce moment-là, ...

b. Aujourd'hui, on envoie des fax dans le monde entier.

→ À ce moment-là, ...

c. Aujourd'hui, nous faisons le tour de la planète en 24 heures.

→ À ce moment-là, ...

d. Aujourd'hui, vous avez la possibilité de travailler en restant chez vous.

→ À ce moment-là, ...

e. Aujourd'hui, les enfants se servent tous les jours d'appareils compliqués.

→ À ce moment-là, ...

f. Aujourd'hui, Internet existe partout.

→ À ce moment-là, ...

g. Aujourd'hui, le câble retransmet des images dans tous les pays.

→ À ce moment-là, ...

h. Aujourd'hui, on a peur de la guerre nucléaire.

→ À ce moment-là, ...

D. PASSÉ RÉCENT, PASSÉ COMPOSÉ ET IMPARFAIT

327 Complétez ces phrases par le verbe entre parenthèses, à l'imparfait ou au passé récent.

Exemple : Elle a encore son manteau, elle *vient d'arriver* (arriver).

a. On .... (mettre) un pull parce qu'on .... (avoir) froid.

b. Suzanne, c'est toi ? Je .... (essayer) de te téléphoner mais tu n'..............
.... (être) pas chez toi.

c. Joseph .... (partir) il y a quelques minutes car il .... (s'ennuyer).

d. Le facteur .... (apporter) le courrier ; regarde vite si tu as une lettre.

e. Le magnétophone .... (fonctionner) très bien ce matin mais il ....
...... (tomber) et il ne marche plus.

f. Je .... (trouver) le livre que je .... (chercher) depuis des mois.

g. Tu n'as pas vu le propriétaire ? Je .... (le croiser), il ....
(marcher) dans notre rue.

h. Elle .... (comprendre) ce que sa grand-mère lui .... (dire)
quand elle était petite.

328 Choisissez entre le passé récent et le passé composé.

Exemple : Émile était au chômage et il ~~a retrouvé~~/vient de retrouver aujourd'hui même un nouvel emploi.

a. L'année dernière, nous avons visité/venons de visiter le Portugal.

b. Le téléphone est libre ; j'ai raccroché/je viens de raccrocher à l'instant.

c. Vous n'avez pas trouvé un gant ? Je l'ai perdu/viens de le perdre en sortant de votre magasin, il y a une seconde.

d. Il sort du bureau de tabac. Il a acheté/vient d'acheter un carnet de timbres.

e. Ma fille a pris/vient de prendre froid la semaine dernière. Elle est restée/vient de rester trois jours à la maison.

f. Le téléviseur est encore chaud ; tu l'as arrêté/viens de l'arrêter.

g. Nous sommes arrivés/venons d'arriver ; notre train est encore en gare.

h. Regarde, Papi, j'ai attrapé/je viens d'attraper un gros poisson ! Tu m'aides à le sortir de l'eau ?

329 **Mettez les verbes entre parenthèses à l'imparfait ou au passé composé.**

Exemple : Au XVIIIe siècle, en France, la vie intellectuelle **se passait** (se passer) dans les salons.

a. C'................ (être) une période de liberté.

b. Montesquieu .... (écrire) *Les Lettres persanes*, une critique de la France en 1721.

c. Voltaire .... (combattre) le fanatisme et l'intolérance toute sa vie.

d. La Révolution .... (commencer) en 1789.

e. Paris .... (représenter) un centre artistique et littéraire.

f. Depuis le début du siècle, les bourgeois .... (demander) le partage du pouvoir.

g. Les philosophes .... (rechercher) le pouvoir de la raison.

h. La société de l'Ancien Régime .... (reposer) sur l'inégalité.

330 **Réécrivez les phrases suivantes en employant l'imparfait ou le passé composé.**

Exemple : Ils déménagent parce qu'ils attendent un enfant.
→ Ils **ont déménagé** parce qu'ils **attendaient** un enfant.

a. Tu as un abonnement sur les lignes d'Air France ; tu bénéficies de vols gratuits.

→ ....

b. Martine change d'emploi car elle s'entend très mal avec son patron.

→ ....

c. L'ouragan est très violent ; il provoque des dégâts importants sur l'île.

→ ....

d. Il pleut depuis une semaine et brusquement le soleil revient !

→ ....

e. Antoine s'endort alors qu'il veut voir ce film.

→ ....

f. Nous voulons prendre le train et finalement, c'est en avion que nous voyageons.

→ ....

g. Je ne trouve pas le livre que je cherche.

→ ....

h. Comme il ne se sent pas bien, Marc rentre chez lui.

→ ....

Bilans

331 Mettez les verbes entre parenthèses au temps du passé qui convient.

C' (être) .... **(1)** le lendemain de Noël 1999 et on (finir) .... **(2)** tranquillement d'ouvrir les cadeaux, on (terminer) .... **(3)** les plats, on (se rappeler) .... **(4)** les bons moments du réveillon quand tout à coup, le vent (se mettre) .... **(5)** à souffler. On (aller) .... **(6)** se coucher parce qu'il (être) .... **(7)** presque minuit et que tout le monde (tomber) .... **(8)** de fatigue. On (se dire) .... **(9)** que le vent (aller) .... **(10)** se calmer dans la nuit. Mais le lendemain matin, quand on (se réveiller) .... **(11)**, le vent (souffler) .... **(12)** toujours. Marc (vouloir) .... **(13)** allumer la lumière mais elle (ne pas fonctionner) .... **(14)**, alors il (ouvrir) .... **(15)** les volets et il (découvrir) .... **(16)** deux arbres cassés au milieu de son jardin ; un arbre (recouvrir) .... **(17)** sa voiture. Il (vouloir) .... **(18)** téléphoner aux pompiers mais il (ne pas y avoir) .... **(19)** de tonalité. Alors...

Imaginez la fin de cette histoire vraie !

332 Voici les réponses à certaines questions que vous vous posez sur Paris. Choisissez la forme verbale correcte.

a. Qui vient d'écrire/écrivait/a écrit : Paris est une fête ? – C'est Hemingway en 1960.

b. Les chaises sont-elles encore payantes au jardin du Luxembourg ? – En 1974, on vient d'arrêter/arrêtait/a arrêté de faire payer les chaises. En 1961, une chaise vient de coûter/coûtait/a coûté 12 centimes.

c. Quelles pièces de théâtre sont jouées depuis longtemps à Paris ? – La Cantatrice chauve et La Leçon viennent d'être/étaient/ont été jouées sans arrêt depuis 1946 au théâtre de La Huchette.

d. Depuis quand peut-on visiter les égouts ? – La première visite vient d'avoir/avait/a eu lieu en 1857 grâce au préfet Haussmann.

e. Quel artiste vient de chanter/chantait/a chanté le plus souvent à l'Olympia ? – C'est Gilbert Bécaud ; il vient de porter/portait/a porté très souvent une cravate à pois. Il vient de donner/donnait/a donné vingt concerts entre 1954 et 1991.

f. En quelle année vient-il de faire/faisait-il/a-t-il fait très chaud à Paris ? – En juillet 1947, les températures viennent d'atteindre/atteignaient/ont atteint 40 °C.

g. Où peut-on trouver la tombe du cinéaste François Truffaut ? – On vient de l'enterrer/l'enterrait/l'a enterré au cimetière Montmartre.

h. Quel est le dernier des grands travaux de François Mitterrand ? – C'est la Biblio-thèque de France qu'on vient d'inaugurer/a inaugurée/inaugurait en 1995 parce que l'ancienne Bibliothèque Nationale vient d'être/a été/était trop étroite. On n'a pas pu/ne pouvait pas y entrer librement.

X. LE FUTUR

Un « tiens » vaut mieux que deux « tu l'auras ».

A. LE PRÉSENT À VALEUR DE FUTUR

333 Soulignez les verbes au présent qui ont une valeur de futur.

Exemples : Ils vivent à la campagne.

Je ne <u>pars</u> pas la semaine prochaine.

a. Les enfants s'amusent dans le jardin.   b. Le train arrive.

c. Samedi, nous invitons nos amis.   d. Ils ne travaillent pas lundi prochain.

e. On se retrouve à 8 heures, d'accord ?   f. Tu sais conduire ?

g. L'année prochaine, j'étudie l'espagnol.   h. Elle me téléphone le lundi.

334 Soulignez le verbe *aller* quand il a une valeur de futur.

Exemples : Je vais au bord de la mer.

On <u>va</u> prendre un taxi.

a. Tu vas acheter *L'équipe* ?

b. Il va au cinéma tous les mercredis.

c. Elle va demander *Le Figaro*.

d. Je ne vais pas acheter *Le Monde* aujourd'hui.

e. Nous allons à la Maison de la presse tous les matins.

f. Ils vont à la médiathèque pour feuilleter des magazines.

g. Elle va lire *Libération* dans le métro.

h. Vous allez vous abonner à *France-Soir* ?

B. LE FUTUR PROCHE

335 Répondez aux questions suivantes sur le modèle donné.

Exemple : Actuellement, vous travaillez chez Renault ?

→ Non, mais *je vais bientôt travailler* chez Renault.

a. Actuellement, elle étudie l'anglais ? → Non, mais ....

b. Actuellement, tu vis à Paris ? → Non, mais ....

c. Actuellement, vous faites une pause ? → Non, mais ....

d. Actuellement, vos amis voyagent en Europe ? → Non, mais ....

e. Actuellement, tu enregistres cette émission ? → Non, mais ....

f. Actuellement, on a de l'argent ? → Non, mais ....

g. Actuellement, il est français ? → Non, mais ....

h. Actuellement, vous parlez russe ? → Non, mais ....

336 **Voici le programme du premier jour d'un circuit touristique en Tunisie. Commentez-le en employant le futur proche.**

Exemple : Arrivée à Tunis à 10 h 40. (arriver) → Vous *allez arriver* à Tunis à 10 h 40.

a. Dépôt des bagages à l'hôtel. (déposer)

→ ....

b. Déjeuner sur la terrasse de l'hôtel à 12 h 30. (déjeuner)

→ ....

c. 14 h 00 – Départ pour Carthage. (partir)

→ ....

d. 15 h 00 – 17 h 00 – Visite guidée des ruines. (visiter)

→ ....

e. Dégustation de pâtisseries arabes. (déguster)

→ ....

f. Retour à l'hôtel. (rentrer)

→ ....

g. Dîner cabaret à 20 h 30. (dîner)

→ ....

h. Spectacle folklorique à la salle de spectacles. (voir)

→ ....

337 **Voici le programme électoral du maire de Perros-Guirec. Faites des phrases complètes au futur proche.**

Exemple : Interdire les trottoirs aux chiens. (on) → *On va interdire* les trottoirs aux chiens.

a. Agrandir les espaces verts. (la municipalité)

→ ....

b. Sortir de l'école à 16 heures. (les enfants)

→ ....

c. Créer un centre culturel. (nous)

→ ....

d. Recevoir des aides financières. (vous)

→ ....

e. Ouvrir un théâtre municipal. (je)

→ ....

f. Faire des voies piétonnes. (on)

→ ....

g. Installer des bancs dans les rues. (nous)

→ ....

h. Participer aux réunions du conseil municipal. (vous)

→ ....

C. LE FUTUR SIMPLE

338 Écrivez ces verbes au futur.

> **Exemples :** jouer → tu **joueras**   prendre → tu **prendras**

a. boire → je ....

b. écrire → vous ....

c. danser → tu ....

d. prendre → elle ....

e. dire → nous ....

f. chanter → on ....

g. grandir → tu ....

h. mettre → je ....

339 Retrouvez l'infinitif de ces verbes.

> **Exemples :** tu verras → **voir**   vous tiendrez → **tenir**

a. je serai → ....

b. vous devrez → ....

c. tu iras → ....

d. on aura → ....

e. je courrai → ....

f. nous saurons → ....

g. vous ferez → ....

h. ils pourront → ....

340 Mettez ces verbes au pluriel.

> **Exemple :** Tu décrocheras le téléphone. → **Vous décrocherez** le téléphone.

a. Il composera le 11. → ....

b. Je brancherai le Minitel. → ....

c. Elle inscrira sa demande sur le clavier. → ....

d. Tu attendras la réponse. → ....

e. Je lirai les renseignements fournis. → ....

f. Il notera ces informations. → ....

g. J'éteindrai le Minitel. → ....

h. Elle pourra téléphoner aux Martin. → ....

341 Associez les éléments suivants pour en faire des phrases (parfois plusieurs possibilités).

a. L'année prochaine, vous

b. Si Marc a le temps, il

c. Je partirai travailler à Madrid quand j'

d. Dans quelques jours, nous

e. Si vous êtes malade, vous

f. Quand le film sera fini, tu

g. Tous les jours, ils

h. Elle a téléphoné au technicien ; il

1. prendront les transports en commun.

2. viendra chez nous lundi à 5 heures.

3. passerez des vacances plus calmes.

4. devras faire quelques courses.

5. ira chez le coiffeur ce soir.

6. aurai assez d'argent.

7. recevrons nos meubles de cuisine.

8. appellerez le médecin.

342 Associez situations et phrases au futur.

a. À la poissonnerie :   1. « Pourrez-vous m'envoyer un nouveau carnet de chèques ? »

b. À la pharmacie :   2. « Quand aurez-vous ces médicaments ? »

c. À la banque :   3. « Je viendrai chercher ce gâteau vers 11 h 30. »

d. Chez le boucher :   4. « Je serai prête pour 19 heures ? »

e. Chez la coiffeuse :   5. « Vous recevrez probablement votre colis demain. »

f. Chez le fleuriste :   6. « À quelle heure m'apporterez-vous ce plateau de fruits de mer ? »

g. À la poste :   7. « Ce poulet devra cuire combien de temps ? »

h. À la pâtisserie :   8. « Vous voudrez bien livrer ces fleurs à Mme Vallet ! Voici son adresse.»

343 Écrivez les verbes entre parenthèses au futur.

Exemple : Quand il **sera** (être) grand, il **ira** (aller) étudier à l'étranger.

a. Nous .... (sortir) lorsque la pluie .... (s'arrêter).

b. Vous .... (quitter) votre bureau et vous .... (rejoindre) vos amis au théâtre.

c. Elle .... (conduire) quand elle .... (avoir) 18 ans.

d. Je .... (voir) mieux lorsque je .... (porter) des lunettes.

e. Lorsque tu .... (sentir) la fatigue, tu .... (prendre) un café.

f. Nous .... (prendre) la voiture quand vous le .... (vouloir).

g. Elle .... (faire) des progrès quand elle .... (étudier) sérieusement.

h. Vous .... (courir) plus vite lorsqu'il .... (pleuvoir) plus fort.

344 Reformulez les prévisions de cette voyante au futur simple.

Exemple : Vous allez faire une rencontre importante.

    → Vous **ferez** une rencontre importante.

a. Votre situation professionnelle va s'améliorer. → ....

b. Vous allez connaître un grand amour. → ....

c. Il va durer plusieurs années → ....

d. Puis, vous allez être déçue. → ....

e. Alors, votre vie va changer. → ....

f. Quelqu'un va tomber follement amoureux de vous. → ....

g. Vous allez vivre le bonheur parfait toute votre vie. → ....

h. Vous allez avoir beaucoup de chance. → ....

345 Réécrivez ces consignes au futur simple.

Exemple : Quand vous arrivez, vous nettoyez la chambre des enfants.

    → Quand vous **arriverez**, vous **nettoierez** la chambre des enfants.

a. Il faut refaire les lits. → ....

b. Vous lavez les vitres du salon. → ....

c. N'oubliez pas d'essuyer la poussière sur les meubles. → ....

....

d. Il y a du repassage à finir. → ....

e. Vous étendez le linge qui est dans la machine à laver. → ....

....

f. À 16 h 30, vous allez chercher les enfants à l'école. → ....

....

g. Vous me dites combien je vous dois pour le mois de septembre. → ....

....

h. Vous partez à l'heure habituelle. → ....

346 **Complétez ces fragments de chansons par les verbes entre parenthèses au futur.**

Exemple : Nous n'***irons*** (aller) plus au bois, les lauriers sont coupés.

a. Ah, tu .... (voir), tout .... (recommencer) !

b. Il .... (revenir) à Pâques ou à la Trinité.

c. J'ai du bon tabac dans ma tabatière, j'ai du bon tabac, tu n'en .... (avoir) pas !

d. Quand nous .... (chanter) le temps des cerises...

e. Il y a longtemps que je t'aime, jamais je ne t'................ (oublier).

f. Goûtons voir si le vin est bon. S'il est bon, s'il est agréable, j'en .... (boire) jusqu'à mon plaisir.

g. Quand .... (mourir)-tu carillonneur, que Dieu créa pour mon malheur.

h. Petit Papa Noël, quand tu .... (descendre) du ciel.

347 **Soyez rassurant sur la météo de demain. Faites des phrases sur le modèle donné.**

Exemple : Aujourd'hui, il pleut à Lyon. → Demain, il ***ne pleuvra pas*** à Lyon.

a. Aujourd'hui, il n'y a pas de soleil à Cannes.

→ Demain, ...

b. Aujourd'hui, il fait froid à Lille.

→ Demain, ...

c. Aujourd'hui, il neige à Chamonix.

→ Demain, ...

d. Aujourd'hui, les températures baissent dans le Nord.

→ Demain, ...

e. Aujourd'hui, une tempête se prépare en Bretagne.

→ Demain, ...

f. Aujourd'hui, le vent souffle très fort à Biarritz.

→ Demain, ...

g. Aujourd'hui, il gèle à Valmorel.

→ Demain, ...

h. Aujourd'hui, il faut faire attention au verglas dans l'Est.

→ Demain, ...

D. LE FUTUR PROCHE ET LE FUTUR SIMPLE

348 Réunissez les éléments pour en faire des phrases (parfois plusieurs possibilités).

a. Je vais vous passer M. Buisson, vous

b. Dans quelques années, vous

c. À la rentrée prochaine, vous

d. Les enfants, mettez vos manteaux, vous

e. L'an prochain, vous ──────────────→

f. Dans quelques secondes, vous

g. C'est promis, vous

h. Je suis certaine que vous

1. allez avoir froid.

2. allez voir la suite de votre feuilleton.

3. irez les voir dimanche.

4. fêterez vos 40 ans.

5. prendrez votre retraite.

6. vous marierez bientôt.

7. ne quittez pas.

8. suivrez un stage aux États-Unis.

349 Choisissez pour les phrases suivantes le futur proche ou le futur simple.

Exemple : Écoute cette histoire, tu vas rire/~~riras~~ !

a. Quand vous téléphonerez/allez téléphoner, on prendra la décision définitive.

b. Dans deux ans, nous fêterons/allons fêter nos noces d'or.

c. La secrétaire me dit que le directeur s'occupera/va s'occuper de moi dans une minute.

d. Je suis convaincue qu'on soignera/va soigner bientôt le Sida.

e. Reste calme ! Ta grand-mère ouvrira/va ouvrir la porte dans quelques secondes.

f. Paul espère qu'il aura/va avoir une bonne note à son devoir de mathématiques.

g. Dans six mois, ce sera/ça va être le printemps.

h. Elles arriveront/vont arriver d'une minute à l'autre.

350 Mettez les verbes entre parenthèses au futur simple ou au futur proche.

Exemple : En 2002, on **paiera** (payer) en euros à travers toute l'Europe.

a. Je raccroche, je .... (être) en retard.

b. Qu'est-ce que vous .... (faire) maintenant ?

c. Quand elles .... (parler) bien français, elles feront un beau voyage en France.

d. Entre une seconde, je .... (te préparer) un café.

e. Dépêchez-vous, nous .... (rater) le train !

f. Un jour, mon frère .... (vivre) en Provence.

g. Mets la radio, on .... (écouter) les informations.

h. Pendant que tu dormiras, j'........................ (étudier) ma leçon de français.

E. LA CONDITION (L'HYPOTHÈSE RÉALISABLE AVEC *SI*)

351 Soulignez les phrases qui expriment une condition.

Exemples : Ils reviendront quand ils voudront.

<u>Si vous répondez rapidement, vous recevrez un cadeau.</u>

a. Tu pourras conduire si je suis fatigué ?

b. Quand le printemps reviendra, les Parisiens partiront en week-end.

c. Je serai très heureuse si j'arrête de fumer.

d. Si on trouve des champignons, on les mangera ce soir.

e. Tu achèteras une voiture si tes parents te prêtent de l'argent ?

f. Quand il fera du sport, il maigrira.

g. Hélène entrera à la fac si elle réussit son bac ?

h. Vous pourrez me rendre ce livre la semaine prochaine ?

352 Associez les éléments pour en faire des phrases (parfois plusieurs possibilités).

a. S'il pleut dimanche,   1. si la mer est chaude.

b. S'il gèle cette nuit,   2. si tu pars en Scandinavie.

c. Nous ferons une promenade en forêt   3. si nous restons trop longtemps sur la plage.

d. Tu mettras des vêtements chauds   4. les routes seront dangereuses demain matin.

e. Je me baignerai   5. on passera de bonnes vacances en Bretagne.

f. Nous prendrons des coups de soleil   6. si elle ne supporte pas le soleil.

g. Claire apportera un parasol   7. vous ferez du bricolage dans la maison.

h. S'il fait beau cet été,   8. s'il fait beau ce week-end.

353 Complétez les phrases suivantes en mettant les verbes entre parenthèses au futur simple ou au présent.

Exemple : Si vous *vous perdez* (se perdre), vous demanderez le chemin.

a. Si tu rates le train de 8 h 07, tu .... (prendre) le suivant.

b. Si nous sommes en retard, nous .... (courir) un peu.

c. Si ta sœur .... (réserver) sa place maintenant, elle pourra prendre le TGV.

d. Nous louerons un appartement plus grand si nous .... (déménager).

e. Si on rentre après 1 heure du matin, on .... (devoir) prendre un taxi.

f. Vous .... (apprécier) les Landes si vous aimez les forêts de pins.

g. Si je pars en vacances à la Toussaint, je t'....................... (envoyer) une carte postale.

h. Michèle .... (être) très heureuse si on lui rend visite dimanche.

Bilans

354 Écrivez les verbes entre parenthèses au présent, au futur ou au futur proche.

Interviews à la sortie d'un lycée, au mois de juin :

– Vous (finir) .... (1) l'année scolaire, qu'est-ce que vous (faire) .... (2) après ?

– D'abord, je (partir) .... (3) en vacances avec des copains.

– Et après, à la prochaine rentrée ?

– Si j' (avoir) .... (4) mon bac, j' (entrer) .... (5) dans une école de tourisme. Si ce (ne pas être) .... (6) possible tout de suite, j' (aller) .... (7) en Espagne pour améliorer mon espagnol. Et l'année suivante, je (commencer) .... (8) mes études de tourisme.

– Et vous, mademoiselle ?

– Moi, d'abord, je (prendre) .... (9) quelques jours de repos et ensuite je (travailler) .... (10) dans une colonie de vacances pendant un mois.

– Et l'année prochaine ?

– J' (étudier) .... (11) la comptabilité. Je (préparer) .... (12) un B.T.S.* en comptabilité et je (être) .... (13) comptable dans le bureau de mon père. Je sais qu'il y (avoir) .... (14) toujours du travail pour moi.

355 Rayez ce qui ne convient pas dans ce discours.

Chers habitants de Pen Lan,

Je suis votre nouveau maire et je vais apporter/apporterai (1), en accord avec vous, quelques changements dans notre ville. Samedi prochain, vous allez être/serez (2) invités à la mairie pour une soirée amicale. J'espère que vous allez venir/viendrez (3) nombreux !

Ensemble, nous allons décider/déciderons (4) les nouvelles orientations de Pen Lan. Si vous avez des idées sur l'aménagement de la place de l'église, sur le projet concernant l'école maternelle, je vais être/serai (5) content de les entendre. Nous allons commencer/commencerons (6) ensemble une vie nouvelle à Pen Lan avec plus de possibilités de loisirs : à la fin de l'année, la piscine va ouvrir/ouvrira (7) ses portes et dans deux ans, une bibliothèque va accueillir/accueillera (8) les habitants de notre ville.

Si une personne souhaite s'occuper de la bibliothèque, elle va pouvoir/pourra (9) déposer sa candidature pendant notre réunion de samedi. Si vous ne pouvez pas venir, vous allez avoir/aurez (10) la possibilité de laisser vos coordonnées à la secrétaire de mairie.

Chers Penlannais, nous allons travailler/travaillerons (11) ensemble pour faire de Pen Lan une ville encore plus agréable à vivre.

_____

* B.T.S. : Brevet de Technicien Supérieur.

XI. LES PRONOMS RELATIFS

C'est l'intention qui compte.

A. QUI

356 Réécrivez ces phrases en utilisant *qui*.

Exemple : Daniel Pennac est un écrivain. Cet écrivain écrit des romans à succès.

→ Daniel Pennac est un écrivain **qui** écrit des romans à succès.

a. Jean-Paul Rappeneau est un cinéaste. Il a réalisé *Cyrano de Bergerac* et *Le Hussard sur le toit*.

→ ....

b. Juliette Binoche est une actrice. Cette actrice a joué dans *Le Patient anglais*.

→ ....

c. Christian Lacroix est un grand couturier. Il crée de très belles robes.

→ ....

d. Patricia Kaas est une chanteuse. Elle a chanté *Mon mec à moi*.

→ ....

e. Marie-José Pérec est une athlète. Elle est championne du monde.

→ ....

f. Ariane Mnouchkine est un metteur en scène. Elle travaille au Théâtre du Soleil.

→ ....

g. Philippe Starck est un designer. Ce designer crée des meubles très modernes.

→ ....

h. Jean-Louis Etienne est un explorateur. Il a traversé le pôle Nord en solitaire.

→ ....

357 Reliez les éléments pour en faire des phrases.

a. Le Minitel est un appareil
b. La télécopie est une invention
c. Le magnétoscope est une machine
d. Le Caméscope est une caméra
e. Le répondeur est un objet
f. Internet est un réseau
g. L'ordinateur est un appareil
h. Le dictaphone est un outil

1. qui sert à dicter des messages et les enregistre.
2. qui traite des données.
3. qui s'utilise pour envoyer des messages écrits photocopiés.
4. qui permet de rentrer en contact avec tous les pays.
5. qui enregistre des émissions ou des films à la télé.
6. qui donne beaucoup d'informations.
7. qui filme à l'aide d'une cassette vidéo.
8. qui enregistre les messages téléphoniques.

358 Faites deux phrases.

> *Exemple :*   La photo qui est en noir et blanc date de notre mariage.
> → ***La photo est en noir et blanc. Elle date de notre mariage.***

a. Va chercher les cadeaux qui sont sous le sapin.

→ ....

b. On sort beaucoup le soir du 21 juin qui est la date de la fête de la Musique.

→ ....

c. Paul qui part à la retraite organise une soirée pour ses collègues.

→ ....

d. Mes enfants ont invité leurs copains qui étudient à la faculté.

→ ....

e. Ma fille qui aura bientôt 15 ans veut faire une petite fête à la maison.

→ ....

f. Le muguet du 1er mai est une fleur qui porte bonheur toute l'année.............................

→ ....

g. Nous passerons la nuit de la Saint-Sylvestre avec des amis qui viennent de Lyon.

→ ....

h. Les invités qui ne peuvent pas venir ont écrit pour s'excuser.

→ ....

359 Continuez les phrases suivantes.

> *Exemple :*   Tu connais l'émission *qui s'appelle* Capital ?

a. C'est une station de radio qui ....

b. Je travaille avec une journaliste qui ....

c. Je déteste la chaîne de télévision qui ....

d. Vous avez vu le film qui ....

e. Elle cherche un article qui ....

f. Connaissez-vous le présentateur qui ....

g. Parles-tu du journal qui ....

h. J'adore ce magazine qui ....

B. *QUE*

360 Rayez le pronom relatif inutile.

> *Exemple :*   Le pull ~~que~~/qu' Élisabeth a acheté est trop petit.

a. La couleur que/qu' elle préfère porter est le blanc.

b. Le chapeau que/qu' tu as choisi ne te va pas.

c. Tu peux ouvrir le cadeau que/qu' on t'a apporté.

d. La boutique que/qu' il connaît a changé d'adresse.

e. La jupe que/qu' elle prend est en solde.

f. La lingerie que/qu' vous tenez à la main est en soie.

g. Les vêtements que/qu' il a essayés lui vont bien.

h. Quelle est la taille que/qu' tu m'as donnée ?

361 Faites une phrase en utilisant *qu'* ou *que*.

   Exemple : J'ai trouvé les photos. Tu les cherchais.

   → J'ai trouvé les photos ***que*** tu cherchais.

a. Anne écoute un disque. Elle l'aime énormément.

→ ....

b. Elle regarde des vidéos. Elle les emprunte à la médiathèque de l'école.

→ ....

c. Mes amis ont beaucoup de livres. Ils me prêtent gentiment ces livres.

→ ....

d. Dominique, m'as-tu rendu ce CD ? Je t'ai demandé ce CD.

→ ....

e. Tu lis des magazines ? Patrick te prête ces magazines régulièrement.

→ ....

f. Il vient d'acheter une chaîne hi-fi. Il la voulait depuis longtemps.

→ ....

g. Mes parents m'ont offert un téléphone portable. Je ne l'utilise pas.

→ ....

h. Nous voulons voir le film. Tout le monde a déjà vu ce film.

→ ....

362 Répondez en utilisant *que*.

   Exemple : Vous aimez beaucoup ces boucles d'oreilles ?

   → Ce sont des boucles d'oreilles ***que*** j'aime beaucoup.

a. Vous portez souvent cette cravate ?

→ ....

b. Vous conseillez cette machine aux clients ?

→ ....

c. Vous lisez ces livres policiers ?

→ ....

d. Vous emportez ces bagages avec vous ?

→ ....

e. Vous achetez ces gants en cuir ?

→ ....

f. Vous avez choisi ce plat ?

→ ....

g. Vous voyez Paul tous les jours ?

→ ....

h. Vous buvez ce vin rouge ?

→ ....

C. QUE/QUI

363 Complétez par *qui, qu'* ou *que.*

> *Exemple :* On trouve dans Paris de nombreux restaurants **qui** servent une excellente cuisine provinciale.

a. C'est une recette de cuisine ...... est facile à faire et ...... tous les gourmands connaissent.

b. La tarte aux fruits ...... ma mère prépare et ...... est délicieuse, ne ressemble à aucune autre.

c. Les grands restaurants de Paris, ... sont réputés et ...... proposent des spécialités de leur chef, coûtent très cher.

d. Le *Jules Verne* est un restaurant ...... se trouve au deuxième étage de la tour Eiffel et ...... j'ai connu pour mon trentième anniversaire.

e. La cuisine normande, ... est à base de beurre et de crème, s'oppose à la cuisine provençale ...... est à l'huile d'olive.

f. Tout le monde connaît les escargots de Bourgogne ...... on mange avec une sauce ...... est au beurre, à l'ail et au persil.

g. Le Bordelais, ... vous connaissez pour ses grands vins ...... sont exportés dans le monde entier, possède de bons plats.

h. Les bistrots du Quartier latin, ... servent des petits menus ...... on apprécie quand on a peu d'argent, sont très typiques.

364 Complétez par *que* ou *qui.*

> *Exemple :* La lettre **que** j'ai reçue vient d'Angleterre.

a. Tu as vu les télécopies ...... je dois envoyer ?

b. J'ai écrit la lettre ...... vous m'aviez demandée.

c. Le fax ...... était sur le bureau a disparu.

d. Les dossiers ...... j'ai rangés sont complets.

e. Les papiers ...... m'intéressent se trouvent chez le comptable.

f. Je n'ai pas lu le document ...... vous concerne.

g. C'est le passeport ...... tu viens chercher ?

h. Le chef du personnel ...... est malade vous recevra la semaine prochaine.

365 Associez les éléments suivants pour en faire des phrases.

a. Les photos		1. sont dans le vase sont des roses.
b. Ce sont des gens		2. tu m'as vendue est en panne.
c. Les fleurs	qui	3. lui parle s'appelle Patricia.
d. L'homme	qu'	4. ils ont eus ne se ressemblent pas.
e. Les enfants	que	5. nous avons prises sont floues.
f. La voiture		6. change beaucoup.
g. La blonde		7. critiquent toujours tout.
h. C'est une ville		8. j'aime est toujours de bonne humeur.

366 Choisissez entre *qui, qu'il* ou *qu'ils*.

Exemple :   Le film **qu'il** regarde est intéressant.

a. Le médecin .... vient d'arriver est timide !

b. Le professeur .... remplace est très malade.

c. Les histoires .... racontent sont incroyables.

d. Le bus .... prend au Châtelet est bondé.

e. Le film .... parle de l'ex-Yougoslavie est difficile.

f. C'est ce type de femme .... aiment beaucoup.

g. C'est ce genre de situation .... nous dérange.

h. C'est exactement la chose .... aime.

367 Cochez la bonne case.

Exemple :   La voiture ☐ *qui* ☒ *que* ☐ *qu'* tu viens d'acheter est française ?

a. Cette jeune fille ☐ *qui* ☐ *que* ☐ *qu'* vient vers nous est professeur de piano.

b. Le manteau ☐ *qui* ☐ *que* ☐ *qu'* nous avons vu coûte 500 euros.

c. Le parfum ☐ *qui* ☐ *que* ☐ *qu'* il m'a offert, c'est Chanel n° 19.

d. Cette bague ☐ *qui* ☐ *que* ☐ *qu'* est en vitrine est en or.

e. Le TGV ☐ *qui* ☐ *que* ☐ *qu'* passe par Bordeaux va jusqu'à Hendaye.

f. Le musée ☐ *qui* ☐ *que* ☐ *qu'* vous voulez visiter est fermé le mardi.

g. Les vacances ☐ *qui* ☐ *que* ☐ *qu'* on a passées en Sicile étaient exceptionnelles.

h. Le boulanger ☐ *qui* ☐ *que* ☐ *qu'* se trouve au coin de la rue est marseillais.

D. *OÙ*

368 Associez les éléments pour en faire des phrases.

a. Voici l'adresse où   1. tu habites est très célèbre.

b. Le jour où   2. vous pourrez suivre des cours.

c. La station de ski où   3. il a neigé, il faisait – 10 degrés.

d. La rue où   4. tu es venu, j'étais à l'étranger.

e. L'hiver où   5. Jacques Chirac est devenu président, on a divorcé.

f. Le magasin où   6. nous allons skier se trouve à 1 850 mètres.

g. L'année où   7. il y a 20 % de réduction sur les voitures se trouve à 20 mètres de chez moi.

h. Le garage où   8. je fais mes courses ouvre à 14 heures.

369 Réécrivez ces phrases en utilisant *où*.

Exemple :   C'est un article ; il y a des informations très importantes dans cet article.

→ C'est un article **où** il y a des informations très importantes.

a. C'est un hôtel ; l'accueil y est extraordinaire.

→ ....

b. Vous passez vos vacances en Italie ; vous avez de la famille en Italie.

→ ....

c. C'est la clinique ; Marc y est né.

→ ....

d. On court dans le bois ; mes enfants montent à cheval dans ce bois.

→ ....

e. Je travaille à Strasbourg ; le Parlement européen se réunit à Strasbourg.

→ ....

f. C'est le théâtre ; on y passe la grande pièce de la rentrée.

→ ....

g. Voici un musée ; vous devriez y passer un après-midi.

→ ....

h. Nous voyageons en Égypte ; nos amis habitent en Égypte.

→ ....

370 **Reliez les phrases suivantes par** *où*.

Exemple : On ne travaille pas beaucoup au mois de mai. Il y a plusieurs jours de fête au mois de mai.

→ On ne travaille pas beaucoup au mois de mai *où* il y a plusieurs jours de fête.

a. Tu es venu me voir un jour. Je n'étais pas chez moi ce jour-là.

→ ....

b. 1789 est une année importante. Il y a eu la Révolution française cette année-là.

→ ....

c. Juillet et août sont les mois. Les Français prennent leurs vacances ces mois-là.

→ ....

d. Vous êtes arrivé à Paris un dimanche. Il neigeait ce dimanche-là.

→ ....

e. Nous nous sommes rencontrés un hiver. Il faisait très doux cet hiver-là.

→ ....

f. La peine de mort a été abolie pendant l'année 1981. Mitterrand a été élu président cette année-là.

→ ....

g. Je t'ai présenté Franck un soir. Tu donnais une fête ce soir-là.

→ ....

h. Les étudiants n'aiment pas beaucoup le mois de mai. Ils préparent leurs examens ce mois-là.

→ ....

E. QUI, QUE, OÙ

371 **Employez dans chaque phrase le pronom relatif qui convient.**

Exemple : Achète ce parfum *qu'*il aime beaucoup.

a. C'est un pays .... me plaît beaucoup.

b. Les touristes aiment Paris .... ils viennent très nombreux.

c. La tour Eiffel, ... est un des monuments les plus visités, a plus de cent ans.

d. Montre-moi la ville .... je dois aller.

e. Regardez les photos .... j'ai prises du château de Versailles.

f. J'ai visité la capitale un jour .... il y avait une grève de transports.

g. Voici le bateau-mouche .... ils vont prendre.

h. Appelle-moi le taxi .... je vois là-bas.

372 **Terminez les phrases suivantes.**

a. J'attends le bus qui ....

b. C'est un travail que ....

c. Je lis un journal où ....

d. C'est un enfant qui ....

e. Présente-moi la femme qu' ....

f. C'est un train qui ....

g. J'aime les films où ....

h. On a vu l'exposition que ....

373 **Évitez les répétitions.**

Exemple : Patricia travaille à Lyon. Lyon se trouve dans le Rhône. Patricia a de nombreux amis dans le Rhône.

→ *Patricia travaille à Lyon qui se trouve dans le Rhône et où elle a de nombreux amis.*

a. Mes voisins ont acheté un appartement. Mes voisins ont trouvé cet appartement au Croisic. Mes voisins passent leurs vacances au Croisic.

→ ....

....

b. Roland-Garros est un tournoi de tennis. Le tournoi se déroule à Paris. On peut voir dans ce tournoi de grands joueurs. On admire ces grands joueurs.

→ ....

....

c. Versailles est une ville. Cette ville est située à 14 km de Paris. Vous pourrez visiter dans cette ville son magnifique château. Vous serez ravi de quitter ce château pour vous promener dans les jardins.

→ ....

....

d. Tours est une ville calme. Cette ville se trouve dans la vallée de la Loire. Vous dégusterez du bon vin dans cette ville.

→ ....

....

Bilans

374 Complétez ce dialogue par les pronoms relatifs nécessaires.

Dialogue entre un mari et sa femme :

– Tu sais, j'ai trouvé une annonce .... **(1)** correspond à la maison .... **(2)** on cherche. Écoute : « À vendre petite maison village, 70 km de Paris, séjour, trois chambres, tout confort, grand jardin. Urgent. Prix 120 000 euros »

– Tu as téléphoné ?

– Oui, on peut aller la visiter samedi. C'est en Normandie. La femme .... **(3)** j'ai eue au téléphone était charmante. Elle m'a expliqué que le village .... **(4)** se trouve sa maison est à quelques kilomètres de l'autoroute A13. C'est très simple pour y aller.

– Et elle t'a dit comment est la maison ?

– Le salon .... **(5)** donne sur le jardin est grand. Les chambres sont au premier étage .... **(6)** il y a aussi une petite pièce .... **(7)** on peut utiliser comme bureau.

– Et le jardin ?

– C'est un jardin .... **(8)** il y a quelques arbres et beaucoup de fleurs. Toi .... **(9)** aimes le jardinage, tu pourras t'occuper !

– Et le prix ?

– Le prix .... **(10)** elle demande peut être discuté. Elle veut vendre très vite. C'est une femme .... **(11)** part vivre à l'étranger .... **(12)** elle a trouvé un travail.

– Bon, on va déjà voir la maison ! On y va samedi, c'est ça ?

375 Complétez la lettre d'une mère dont l'enfant part en vacances à l'étranger.

Chère Madame,

Vous allez accueillir pendant une semaine mon petit Vincent .... **(1)** prendra le train lundi prochain. Comme vous me l'avez proposé, vous irez l'attendre à Victoria Station .... **(2)** il arrivera à 18 h 07. C'est très bien parce qu'il parle encore mal anglais. Vincent .... **(3)** vous reconnaîtrez facilement avec cette photo .... **(4)** je vous envoie aura sûrement à la main des albums d'Astérix .... **(5)** il adore lire. Mon fils est un petit garçon très gentil .... **(6)**, je pense, ne vous dérangera pas beaucoup. Mais je voulais vous parler de son caractère : c'est un garçon très timide .... **(7)** il faut apprendre à connaître mais .... **(8)** a de nombreuses qualités. Je vous dis tout ceci à vous .... **(9)** avez aussi un fils de 13 ans et .... **(10)** connaissez peut-être les mêmes problèmes. Je vous remercie encore et je vous prie de croire, chère Madame, à l'assurance de mes sentiments amicaux.

Alice Leroux

XII. LES COMPARATIFS/LES SUPERLATIFS

Le mieux est l'ennemi du bien.

A. LES COMPARATIFS

 Soulignez les comparatifs.

> *Exemples :* Cet hôtel est <u>plus</u> confortable <u>que</u> Le Napoléon.
>
> Nous n'avons plus de chambre libre.

a. Elle ne voyage plus l'été car elle n'aime pas la chaleur.

b. Cette chambre est plus calme que l'autre.

c. La climatisation ne fonctionne plus depuis hier.

d. Mes bagages sont plus lourds que les tiens.

e. Il n'y a plus de réceptionniste ?

f. Le prix de la chambre double est plus cher.

g. L'ascenseur n'est plus en panne, vous pouvez l'utiliser.

h. La chambre 302 est plus spacieuse que la 301.

377 **Des frères qui ne se ressemblent pas beaucoup. Complétez par** *plus... que, moins... que, aussi... que.*

> *Exemple :* Ils sont (−) *moins* calmes *qu*'avant.

a. Christophe est (+) .... âgé .... son frère Alain.

b. Alain est (−) .... indépendant .... son grand frère.

c. Ils sont (=) .... gentils l'un .... l'autre.

d. Alain semble (−) .... souriant .... Christophe.

e. Les deux frères sont (=) .... blonds l'un .... l'autre.

f. Christophe paraît (+) .... drôle .... Alain.

g. Ils ont l'air (=) .... vifs à l'école .... à la maison.

h. Christophe paraît (−) .... timide .... son petit frère.

378 **Faites des comparaisons en utilisant des adjectifs.**

> *Exemple :* Brigitte Bardot – Sophie Marceau (+)
>
> → *Brigitte Bardot est plus âgée que Sophie Marceau.*

a. la femme – l'homme (=) → ....

b. Jacques Chirac – Gérard Depardieu (−) → ....

c. le Concorde – le TGV (+) → ....

d. le cinéma – la télévision (+) → ....

e. le champagne – le vin (=) → ....

f. la machine à écrire – l'ordinateur (–) → ....

g. Mexico – Le Caire (=) → ....

h. l'opéra – le rock (–) → ....

379 *Aussi* ou *autant*. **Rayez ce qui ne convient pas.**

Exemple : Je vais ~~aussi~~/autant au stade que mes amis.

a. Mon fils skie aussi/autant que ma fille.

b. Ma sœur nage aussi/autant que Cécile.

c. Pierre est aussi/autant rapide que François.

d. Son père est aussi/autant sportif que le professeur d'éducation physique.

e. Nous jouons aussi/autant au tennis qu'au squash.

f. Patrick monte à cheval aussi/autant que sa mère.

g. Les cours de danse sont aussi/autant chers que les cours de gymnastique.

h. Son entraîneur travaille aussi/autant que lui.

380 Comparez Marc et Éric.

> ■ **MARC 29 ans**, grand, intelligent, peu sportif mais aimant le jazz et l'opéra, la vie en ville, voudrait rencontrer jeune femme pour partager sa vie.

> ■ **ÉRIC 22 ans**, 1,80 m, beau, intelligent, aimant le tennis, la marche et tous les sports de plein air et la musique, mais détestant le bruit, cherche jeune femme qui lui ressemble pour vie à deux.

a. Marc est plus ....

b. Marc est moins ....

c. Marc aime plus ....

d. Marc écoute plus ....

e. Éric est aussi ....

f. Éric est plus ....

g. Éric aime moins ....

h. Éric aime autant ....

381 Complétez par *aussi* ou *autant*.

Exemple : Il boit toujours **autant** qu'avant ?

a. Mais bien sûr : le TGV nord roule .... vite que le TGV atlantique.

b. Ça n'a pas d'importance. J'aime .... le café que le thé.

c. À la maison, nous parlons .... le russe que l'italien.

d. Malgré notre enfant, nous sortons .... qu'avant.

e. Tu marches toujours .... rapidement pour faire les courses ?

f. Malgré ses 80 ans, elle danse .... bien qu'autrefois.

g. Tu peux en prendre .... que tu voudras.

h. À l'étranger, je communique .... difficilement en anglais qu'en français.

382 *Autant, autant de*. **À vous de compléter.**

Exemple : Essaie de ne pas courir ***autant***.

a. Vous ne devriez pas manger .... sucre.

b. Il ne faudrait pas boire ....

c. Vous pourriez ne pas prendre .... médicaments.

d. Elle ne devrait pas faire .... sport.

e. Vous ne devriez pas fumer ....

f. Promettez-moi de ne pas travailler ....

g. Attention : ne prends pas .... chocolats.

h. Évite d'acheter .... viande.

383 *Aussi, autant, autant de*. **Utilisez ces trois comparatifs.**

Exemple : Nous parlons mal l'italien. – Vous parlez ***aussi*** mal l'italien que nous ?

a. J'ai faim ! – Vous avez faim .... que ce midi ?

b. J'ai des amis ! – Tu as .... amis qu'au lycée ?

c. Nous avons pris des photos ! – Vous avez fait .... photos que votre frère ?

d. Claude pense à ses enfants ! – Il pense .... à ses enfants qu'à sa femme ?

e. Vous marchez lentement ! – Nous marchons .... lentement que vous.

f. Dominique est sympathique ! – Il est .... sympathique que sa compagne.

g. Mes grands-parents dansent le tango ! – Les miens dansent .... le tango que la valse.

h. Aline a de la chance ! – Elle a .... chance que sa famille ?

384 **Complétez par :** *plus, plus de, moins, moins de, aussi, autant, autant de*.

Exemple : Il y a ***plus de*** (+) chômage que dans les années 80.

a. Depuis 2000, certains Français travaillent .... (–) qu'avant : 35 heures par semaine au lieu de 39.

b. Les Français ont .... (+) vacances qu'auparavant : cinq semaines de congés payés au lieu de quatre.

c. Dans les entreprises, les femmes travaillent .... (=) heures que les hommes.

d. Ils paient .... (=) impôts qu'avant.

e. Les salaires n'augmentent pas .... (=) vite que les prix.

f. Les cotisations sociales sont .... (+) élevées qu'auparavant.

g. Les Français ont .... (–) pouvoir d'achat.

h. Les Français se plaignent .... (=) qu'autrefois de la situation économique.

385 Complétez par : *bon, bien, meilleur* ou *mieux*. N'oubliez pas de les accorder si nécessaire.

> *Exemple :* Marie est **bonne** élève, mais sa sœur est **meilleure** qu'elle.

a. M. Deschamps est un .... professeur. Il explique .... la grammaire.

b. Je trouve que Mme Rollin enseigne .... les langues que la littérature.

c. J'ai eu une .... note en sciences qu'en physique.

d. Elle travaille .... cette année que l'an passé.

e. Mes enfants parlent .... anglais et ont un .... accent.

f. On mange .... à la cantine mais on déjeune .... chez soi.

g. C'est une .... école mais le collège Henri-Matisse est ....

h. Il a obtenu de .... résultats au bac que son frère.

386 *Meilleur* ou *mieux* ? Complétez les phrases suivantes.

> *Exemple :* Cette veste a une **meilleure** coupe.

a. Avec ces lunettes, vous voyez ....

b. Je vous conseille cette robe ; elle vous va ....

c. Ce pull est de .... qualité.

d. Tu as .... goût que Jeanne.

e. Je vous propose ce manteau, il est .... marché.

f. Il vaudrait .... réfléchir avant de l'acheter.

g. Cette cravate est .... assortie à votre costume.

h. Vous vous sentez .... dans ces chaussures ?

387 *Bon/bien, meilleur/mieux*. Complétez selon le modèle.

> *Exemple :* Le vin, c'est **bon**, mais le champagne, c'est **meilleur**.

a. Visiter Paris, c'est ...., mais visiter la France, c'est ....

b. Les croissants, c'est ...., mais les pains au chocolat, c'est ....

c. La cuisine à l'huile d'olive, c'est ...., mais la cuisine au beurre, c'est ....

d. Lire *Le Parisien*, c'est ...., mais lire *Le Monde*, c'est ....

e. Le camembert, c'est ...., mais le fromage de chèvre, c'est ....

f. Regarder un film en vidéo, c'est ...., aller le voir au cinéma, c'est ....

g. Lire *Le Petit Prince* en traduction, c'est .... mais le lire en français, c'est ....

h. Les vacances au camping, c'est ...., mais à l'hôtel, c'est ....

388 Remettez ces slogans publicitaires dans l'ordre.

> *Exemple :* difficile/simple/plus/de/faire → **Difficile de faire plus simple.**

a. des/forts/que/plus/moments/forts

→ ....

b. éclat/d'/moins/années/plus/d'

→ ....

c. beaucoup/loin/on/avec/va/plus/voitures/nos

→ ....

d. bébés/au/sec/plus/les/sont

→ ....

e. faudrait/plus/dépenser/être/il/pour/fou

→ ....

 f. regard/visiblement/jeune/plus/votre

→ ....

g. meilleure/qui/faire/impression/peut/?

→ ....

h. quand/la/nourrie/mieux/est/peau/elle/épanouit/s'

→ ....

389 Complétez ces phrases comparatives sur le chômage en Europe.

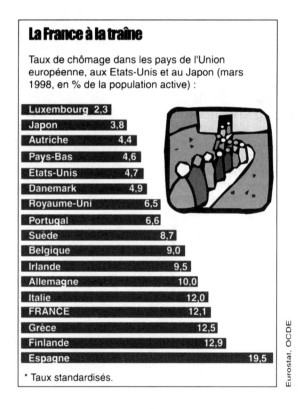

La France à la traîne

Taux de chômage dans les pays de l'Union européenne, aux Etats-Unis et au Japon (mars 1998, en % de la population active) :

Luxembourg	2,3
Japon	3,8
Autriche	4,4
Pays-Bas	4,6
Etats-Unis	4,7
Danemark	4,9
Royaume-Uni	6,5
Portugal	6,6
Suède	8,7
Belgique	9,0
Irlande	9,5
Allemagne	10,0
Italie	12,0
FRANCE	12,1
Grèce	12,5
Finlande	12,9
Espagne	19,5

* Taux standardisés.

Eurostat, OCDE

> *Exemple :* Le chômage est *plus* important en Espagne *que* dans les autres pays d'Europe.

a. Le Luxembourg a .... chômeurs .... la France.

b. La population active au Royaume-Uni est .... importante .... au Portugal.

c. Les Suédois connaissent .... les difficultés de l'emploi .... les Français.

d. Pour les Autrichiens, c'est .... difficile de trouver du travail .... pour les Espagnols.

e. En Italie, le chômage est presque .... grave .... en France.

 f. Il y a .... gens sans travail en Finlande .... au Danemark.

g. Le chômage est un problème .... grave en Belgique .... aux Pays-Bas.

h. Les Irlandais sont .... préoccupés par le chômage .... les Grecs.

Les vies inégales

Espérance de vie à la naissance (en années) par sexe dans certains pays et mortalité infantile (pour 1 000 naissances)* :

	Espérance de vie à la naissance		Mortalité infantile
	Hommes	Femmes	
Union européenne (en 1996)			
• Suède	76,5	81,5	4,2
• Grèce	75,0	80,3	7,9
• Italie	74,9	81,3	5,8
• Pays-Bas	74,7	80,3	5,5
• Espagne	74,4	81,6	5,6
• Royaume-Uni	74,4	79,3	6,2
• FRANCE	74,0	81,9	5,0
• Autriche	73,9	80,2	5,0
• Belgique	73,5	80,2	6,1
• Allemagne	73,3	79,8	5,1
• Irlande	73,2	78,5	6,3
• Finlande	73,0	80,5	3,9
• Luxembourg	73,0	80,0	5,5
• Danemark	72,8	78,0	5,3
• Portugal	71,0	78,5	7,4
• Australie	75	81	5,8
• Canada	75	81	6,2
• Israël	75	79	7,2
• Etats-Unis	73	79	7,3
• Mexique	70	76	34,0
• Chine	68	72	31,0
• Algérie	66	68	44,0
• Turquie	65	70	47,0
• Inde	59	59	75,0
• Russie	58	72	18,0
• Afrique du Sud	54	58	53,0
• Mali	44	48	134,0

* données 1996 pour l'Union Européenne et les plus récentes disponibles pour les autres pays.

Eurostat, OCDE, ONU, INED

Les enfants de l'Europe

Evolution du nombre moyen d'enfants par femme (indice synthétique de fécondité) :

	1970	1980	1990	1996
- Allemagne	2,03	1,56	1,45	1,29
- Autriche	2,29	1,65	1,45	1,42
- Belgique	2,25	1,68	1,62	1,59
- Danemark	1,95	1,55	1,67	1,75
- Espagne	2,85	2,20	1,36	1,15
- Finlande	1,83	1,63	1,78	1,76
- FRANCE	2,47	1,95	1,78	1,72
- Grèce	2,38	2,22	1,39	1,31
- Irlande	3,96	3,24	2,15	1,91
- Italie	2,38	1,64	1,33	1,22
- Luxembourg	1,97	1,49	1,60	1,76
- Pays-Bas	2,57	1,60	1,62	1,52
- Portugal	2,71	2,20	1,51	1,40
- Royaume-Uni	2,43	1,90	1,83	1,70
- Suède	1,92	1,68	2,13	1,61

Eurostat

Exemple : Les Européens vivent ***moins*** longtemps ***que*** les femmes européennes.

a. Les femmes des Pays-Bas vivent .... longtemps .... les Grecques.

b. En Suède, les hommes ont une espérance de vie .... longue .... au Danemark et .... en Finlande.

c. Les Françaises ont une vie .... longue .... les autres Européennes.

d. Les femmes en Autriche vivent .... longtemps .... en Belgique.

e. En France, il naît .... enfants .... au Luxembourg.

f. Il y a .... naissances en Espagne .... en Italie.

g. Les naissances sont .... élevées en Finlande .... en Allemagne.

h. En général, les Européens avaient .... enfants en 1990 .... en 1996.

391 Quelles sont les activités culturelles des Français ? Faites des phrases comparatives.

Les pratiques d'activités artistiques en amateur

Sur 100 Français de 15 ans et plus

Au cours des douze derniers mois...	1989	1997
ont joué d'un instrument de musique*	18	13
ont fait du chant ou de la musique avec une organisation ou des amis	8	10
ont pratiqué une activité amateur autre que musicale	27	32
dont tenir un journal intime, noter des réflexions	7	9
écrire des poèmes, nouvelles ou romans	6	6
faire de la peinture, sculpture ou gravure	6	10
faire de l'artisanat d'art	3	4
faire du théâtre	2	2
faire du dessin	14	16
faire de la danse	6	7
ont utilisé :		
un appareil photo	66	66
une caméra ou un Caméscope	5	14

* Les modifications apportées au questionnaire interdisent toute comparaison sur cette question.

Source : Les pratiques culturelles des Français. Enquête 1997, O. Donnat, *Département des études et de la prospective, Ministère de la Culture et de la Communication*, La Documentation française, 1998.

Exemple : En 1989, on faisait ***plus de*** musique ***qu'***en 1997.

a. En 1997, ... Français écrivent un journal intime .... en 1989.

b. Il y a .... gens qui écrivent des poèmes et des romans en 1997 .... en 1989.

c. On utilise .... caméras et .... Caméscope .... en 1989.

d. En 1989, la danse était .... populaire .... en 1997.

e. Les Français font .... théâtre .... avant mais ils font .... peinture et .... sculpture.

f. Ils aiment .... la photographie .... avant.

g. Les Français s'intéressent .... à la musique .... aux autres activités artistiques.

h. .... Français pratiquent le dessin .... la danse.

B. LES SUPERLATIFS

392 Soulignez les superlatifs dans ces phrases.

Exemples : L'espérance de vie des Françaises est plus longue (81,9 ans) que celle des Français (74 ans).

Les Français sont <u>les plus gros</u> consommateurs de médicaments du monde (337,83 euros par personne pour l'année 1996).

a. Les Français consomment moins de poisson que de viande (10,8 kg par an et par personne).

b. Les chefs d'entreprises sont les Français les mieux payés.

c. La France est le pays le plus visité au monde (67 millions d'étrangers en 1997).

d. Un professeur est mieux payé qu'un ouvrier.

e. *Le Cinquième élément* a rassemblé le plus grand nombre de spectateurs en 1997 : 7,5 millions d'entrées.

f. Le Boulevard périphérique parisien est la route la plus fréquentée d'Europe : 1,2 million de véhicules par jour.

g. Les jeunes sont, en général, en meilleure santé que les personne âgées.

h. La France possède le plus grand nombre de fromages : plus de 400 appellations.

393 **La France des records. Complétez par les superlatifs** *le (la/les) plus, le (la) moins, le (la) meilleur(e)*.

  Exemple :   La France est le pays d'Europe qui accueille **le plus** (+) de visiteurs : 67 millions d'étrangers en 1997.

a. *Club Med 1* et *Club Med 2* sont .... (+) grands voiliers du monde.

b. Paris est la capitale où la qualité de la vie est .... (+ bon) (selon une étude de 1991).

c. La France est le pays d'Europe où on paie .... (+) par chèques.

d. C'est aussi le pays où on achète .... (–) dans les petits commerces.

e. Les Français sont les Européens qui paient .... (–) d'impôts sur le revenu.

f. Les Français sont les Européens qui sont .... (–) syndiqués.

g. Les Français sont .... (+) grands consommateurs de médicaments mais les remboursements sont aussi .... (+) faibles.

h. Le TGV est le train qui a obtenu .... (+ bon) record de vitesse : 515 km/h.

394 **Faites des phrases en employant un superlatif.**

  Exemple :   sport dangereux → Pour moi, la plongée sous-marine est le sport **le plus** dangereux.

a. animal affectueux → ....

b. gros mensonge → ....

c. fruit cher → ....

d. bon moment dans la journée → ....

e. bonne cuisine → ....

f. belle ville → ....

g. film intéressant → ....

h. événement important → ....

Bilans

395 Complétez par des superlatifs ou des comparatifs en respectant les éléments donnés.

Interview dans la rue :

*– Quel est votre (+ bon) .... **(1)** souvenir, (+ beau) .... **(2)** jour de votre vie ?*

*– C'est le jour où j'ai couru (=) .... vite .... **(3)** mon grand frère.*

*– Le jour de mon mariage : je me trouvais (+ beau) .... **(4)** dans ma grande robe blanche.*

*– Le jour où j'ai voté pour la première fois ; je me suis senti (+ vieux) .... **(5)** avant.*

*– Le jour où j'ai eu (+ bon) .... **(6)** note en maths de la classe.*

*– Le jour où j'ai gagné (=) .... argent .... **(7)** mon père.*

*– Les vacances que j'ai passées avec mes cousins en Bretagne, c'étaient (+ beau) .... **(8)** vacances de ma vie !*

– C'était au restaurant La Tour d'Argent *: C'est le repas où j'ai (+ bien) .... **(9)** mangé de ma vie.*

396 Complétez l'horoscope des lions par des comparatifs et des superlatifs.

Cœur :

*Vous serez toujours (=) .... **(1)** heureuse en amour. Votre compagnon vous aime (=) .... **(2)** qu'aux premiers jours. Néanmoins, quelques petites querelles apparaîtront ici et là. Mais elles seront (–) .... **(3)** importantes que les moments d'euphorie. La période (–) .... **(4)** bonne se situera entre le 20 et le 30 septembre.*

Vie sociale :

*Votre (+ bon) .... **(5)** arme, c'est votre sourire. Votre gentillesse vaudra (+) .... **(6)** qu'un long discours s'il faut signer un contrat ! C'est (+ bon) .... **(7)** moment de l'année pour faire des projets professionnels. (+ bon) .... **(8)** résultats seront obtenus par le deuxième décan et surtout le troisième.*

Santé :

*C'est le premier décan qui se portera (+) .... **(9)**. Le troisième décan devra prendre ses précautions : (–) .... **(10)** surmenage, et il aura (=) .... **(11)** tonus et de vitalité que les natifs du deuxième décan. Profitez des beaux jours pour vous refaire une santé. (+) .... **(12)** repos, faites de la marche et alimentez-vous (+) .... **(13)** que d'ordinaire en mangeant (+) .... **(14)** fruits et (+) .... **(15)** légumes. Fumez (–) .... **(16)** : vous aurez un teint (+) .... **(17)** clair.*

XIII. LES ADVERBES

Qui va doucement va sûrement.

A. LES ADVERBES EN -MENT

397 Soulignez les adverbes.

> *Exemple :* arrangement – <u>certainement</u> – déménagement – bâtiment

a. régiment – licenciement – fortement – remerciement

b. autrement – paiement – armement – événement

c. commandement – versement – rarement – balancement

d. appartement – rajeunissement – amaigrissement – justement

398 Pour chaque adverbe, retrouvez l'adjectif.

> *Exemples :* faiblement → **faible**   vraiment → **vrai**

a. poliment → ....   b. largement → ....

c. étroitement → ....   d. joliment → ....

e. richement → ....   f. salement → ....

g. calmement → ....   h. tristement → ....

399 Construisez les adverbes à partir des adjectifs donnés.

> *Exemples :* grand, grande → **grandement**   vif, vive → **vivement**

a. naïf → ....   b. mou → ....

c. sec → ....   d. long → ....

e. doux → ....   f. heureux → ....

g. courageux → ....   h. passif → ....

400 Écrivez les adverbes correspondant aux adjectifs donnés.

> *Exemples :* prudent → **prudemment**   méchant → **méchamment**

a. puissant → ....   b. fréquent → ....

c. suffisant → ....   d. patient → ....

e. évident → ....   f. abondant → ....

g. courant → ....   h. brillant → ....

401 En tenant compte du sens, complétez les phrases par un adverbe construit à partir des adjectifs suivants : *simple, lent, propre, franc, complet, doux, tranquille, correct, méchant.*

Exemple : Constantin, tu es très sale ! Mange ta crème **proprement** !

a. Tu parles trop fort et les enfants dorment ; parle plus ....

b. Ne bouge pas tout le temps ! Regarde .... la télévision.

c. Maman, marche plus ...., je ne peux pas te suivre.

d. Parle-moi ...., tu peux me faire confiance.

e. Ces gens vivent ...., ils n'ont pas beaucoup d'argent.

f. Réfléchissez pour répondre ....

g. Il te reste encore une opération à faire ; ensuite, tes devoirs seront .... terminés.

h. J'ai peur de ce chien, il me regarde ....

B. AUTRES ADVERBES

402 Complétez les phrases suivantes par l'adjectif *bon* ou l'adverbe *bien*.

Exemples : Il a pris des cours et maintenant il skie **bien**.

Monsieur Aubert est un **bon** professeur.

a. Pour mon anniversaire, ils m'ont apporté un .... gâteau.

b. Buvez de l'eau, c'est .... pour la santé.

c. Aujourd'hui, nous avons .... compris la leçon.

d. Regardez .... si vous n'avez rien oublié !

e. J'ai un .... disque de Bruel, tu le veux ?

f. Nous avons dîné dans un .... restaurant.

g. Pour comprendre, il faut .... écouter !

h. Ces étudiants ont fait un .... semestre.

403 Réinsérez l'adverbe *mieux* ou l'adjectif *meilleur* dans les phrases suivantes.

Exemple : L'an dernier, ses résultats étaient mauvais ; ils sont **meilleurs** cette année.

a. Avec ses nouvelles lunettes, elle voit ....

b. Michel et François sont les .... amis du monde.

c. Tu trouves que *Le Hussard sur le toit* est le .... film de Rappeneau ?

d. Depuis que sa grand-mère est rentrée à la maison, tout va ....

e. Les .... programmes pour les enfants sont sur France 3.

f. Tu veux aller voir *Les 400 coups* ? Moi, j'aimerais .... aller voir *L'Homme qui aimait les femmes*.

g. Cette étudiante progresse vite ; elle parle .... que les autres.

h. Le .... moment de la journée, c'est après le déjeuner, au moment du café.

404 Complétez les phrases suivantes par : *bien, bon (ne [s]), meilleur (e [s])* **ou** *mieux*.

Exemple : Grand-père entend beaucoup **mieux** depuis qu'il a un appareil.

a. On dit que Saint Louis était un .... roi.

b. *Monsieur Malaussène*, ce n'est pas le .... roman de Pennac !

c. Il conduit de .... en ....

d. Prenez ma voiture, elle marche très ....

e. Isabelle Huppert est une .... actrice.

f. Tu veux lire *Mort à l'appel* ? C'est un .... livre.

g. On a gagné, on est les .... !

h. Notre professeur explique .... que Mme Ledoux.

405 Complétez les phrases suivantes par *très* ou *beaucoup*.

Exemple : Sophie est **très** intéressée par la philosophie.

a. Elle habite dans une .... belle maison à la sortie du village.

b. Jean conduit .... vite ; un jour, il aura un accident !

c. Tu lis .... je crois : en moyenne deux livres par semaine.

d. Il parle .... ; je le trouve fatigant.

e. Tu n'as pas l'air de .... t'amuser ; tu veux partir ?

f. On a vu un .... bon film la semaine dernière : *La Haine*.

g. Pensez-vous que les enfants ont .... trop de vacances l'été ?

h. Il y a .... longtemps, un dragon vivait en Chine...

406 *Très* ou *trop* ? Rayez ce qui ne convient pas.

Exemple : Christine a dormi ~~très~~/trop longtemps ; elle est arrivée en retard ce matin.

a. Ce livre est très/trop bien ; je te le recommande.

b. Comme il est très/trop malade, il a un arrêt de travail pour plusieurs mois.

c. Ma mère n'aime pas prendre le métro ; elle est très/trop bousculée.

d. On a très/trop envie de s'amuser ce week-end.

e. Cette robe est vraiment très/trop chère, je ne la prends pas !

f. Paul est très/trop content de son nouveau bureau.

g. Pourquoi veux-tu déménager ? On est très/trop bien ici !

h. Ils avaient très/trop bu ; ils sont rentrés chez eux en taxi.

407 Placez correctement les adverbes dans les phrases suivantes.

Exemples : Il a répondu à ma question. (facilement) → Il a répondu **facilement** à ma question.

Nous avons dormi cette nuit. (peu) → Nous avons **peu** dormi cette nuit.

a. Sophie n'est pas rentrée à la maison ? (tard)

→ ....

b. On s'entend bien. (relativement)

→ ....

c. Elles se voient le samedi. (rarement)

→ ....

d. Nous avons réfléchi toute la semaine dernière à votre proposition. (bien)

→ ....

e. Elle a parlé avec sa mère. (longuement)

→ ....

f. Il est très rapide ; il a tout fini. (déjà)

→ ....

g. On a pensé à toi pendant ce voyage. (souvent)

→ ....

h. C'est facile pour aller à Versailles. (assez)

→ ....

408 **Reliez les éléments suivants pour établir des oppositions.**

a. Nous partons **souvent** à la mer
b. Il y a des fleurs partout
c. Il a bien préparé son texte
d. Ils habitent ici
e. Mes amis ont trop de travail
f. On les invite parfois
g. Elle veut encore voyager
h. Il a tout lu

1. mais il ne veut plus.
2. mais ils acceptent rarement de venir.
3. mais travaillent ailleurs.
4. mais mal répondu aux questions.
5. mais il n'en voit nulle part.
6. mais **jamais** à la montagne.
7. mais rien compris.
8. et pas assez de temps libre.

409 **Remettez les phrases dans l'ordre.**

Exemple : encore/elle/n'/fini/a/pas → **Elle n'a pas encore fini.**

a. bientôt/Paris/à/nous/viendrons/très → ....

b. souvent/lui/téléphone/on/assez → ....

c. clairement/répondu/ils/pas/pourquoi/n'/ont/plus/ ? → ....

d. trop/mangé/il/beaucoup/a → ....

e. assez/compris/j'/bien/ai → ....

f. bien/désagréable/il/trop/est → ....

g. jamais/viennent/presque/ils/ne → ....

h. mal/écrit/vraiment/elle → ....

410 **Répondez par le contraire en utilisant :** *dehors, là-bas, beaucoup, rarement, ne... jamais, encore, vite, nulle part.*

Exemple : Vous levez-vous <u>tôt</u> le dimanche ? → Non, on se lève **tard**.

a. Ton ami habite <u>ici</u> ? → Non, ...

b. Vous venez <u>toujours</u> dans ce café ? → Non, ...

c. Ils prennent <u>fréquemment</u> l'avion ? → Non, ...

d. On vous attend <u>dedans</u> ? → Non, ...

e. Vous ne fumez <u>plus</u> ? → Si, ...

f. Tu conduis <u>lentement</u> ? → Non, ...

g. Vous allez <u>quelque part</u> ce week-end ? → Non, ...

h. Ta mère dort <u>peu</u> ? → Non, ...

Bilan

411 Complétez ce dialogue par des adverbes formés à partir des adjectifs donnés et rayez ce qui ne convient pas.

– Je ne comprends (vrai) .... *(1)* pas ; Marie n'est pas venue à notre rendez-vous !

– Tu lui as (clair) .... *(2)* expliqué le lieu de rendez-vous ?

– (Évident) ....*(3)*, je lui ai même indiqué le nom du café et je lui ai bon/bien *(4)* dit en face de la station Blanche.

– Alors, tu n'as peut-être pas fixé (précis) .... *(5)* l'heure du rendez-vous ?

– (Franc) .... *(6)*, tu me prends pour une idiote ! Je sais mieux/meilleur *(7)* donner un rendez-vous que toi !

– Réfléchissons (calme) .... *(8)*. As-tu attendu très/trop/beaucoup *(9)* longtemps ?

– J'ai bon/bien *(10)* attendu plus d'une heure. Je suis (terrible) .... *(11)* inquiète. (Habituel) .... *(12)* Marie est rarement/toujours *(13)* à l'heure.

– Téléphone (immédiat) .... *(14)* chez elle ; tu comprendras meilleur/mieux/bon *(15)*.

– Tu as raison !

– Allô, Marie, je t'ai attendue (exact) .... *(16)* une heure au café Blanche. Que s'est-il passé ?

– Oh, Valérie, je suis (sincère) .... *(17)* désolée. Voilà, quand je suis sortie de chez moi, ...

Continuez le récit de Marie en employant plusieurs adverbes.

XIV. SITUER DANS LE TEMPS

Mieux vaut tard que jamais.

A. LES INDICATEURS TEMPORELS

412 Complétez les phrases suivantes par *dans* ou *pendant*.

> *Exemples :* **Dans** une semaine, ce sera Noël.
>
> **Pendant** les fêtes, nous partirons chez nos parents.

a. Il y a beaucoup de touristes à Paris .... l'été.

b. .... quelques jours, ils fêteront leur anniversaire de mariage.

c. Quand voyagerez-vous au Proche-Orient ? – .... trois mois.

d. Combien de temps resterez-vous à Rome ? – Nous resterons à Rome ....
une semaine.

e. Madame Dufour est libre demain ? – Elle a un rendez-vous important ....
la matinée.

f. .... deux heures, il a fait le ménage.

g. Elles ont étudié l'archéologie .... toute leur vie.

h. .... les mois en « r », on peut manger des huîtres.

413 Complétez les phrases suivantes par *en* ou *pendant*.

> *Exemples :* **En** automne, on peut trouver des champignons.
>
> La chasse est ouverte **pendant** l'automne et l'hiver.

a. En France, on coupe le blé .... été.

b. .... juillet et .... août, les Français prennent des congés.

c. .... les vendanges, les viticulteurs travaillent beaucoup.

d. La pêche ouvre .... avril.

e. Les Français pratiquent le ski .... l'hiver.

f. .... l'année scolaire, les enfants ont de petites vacances toutes les six semaines.

g. .... les longs week-ends de printemps, les Français quittent les villes.

h. Il y a de nombreux jours fériés .... mai.

414 Rayez ce qui ne convient pas.

> *Exemple :* Il a écrit son mémoire de maîtrise en/~~dans~~ trois mois.

a. Nos vacances finiront en/dans une semaine.

b. Jules Verne a écrit *Le Tour du monde en/dans 80 jours*.

c. Paris-Nice est un long trajet, alors nous le ferons en/dans deux jours.

d. Elle a appris à conduire en/dans trois mois.

e. Je reprends mon travail en/dans quatre jours.

f. En/Dans un an, Jenny retournera aux États-Unis.

g. Il travaille très vite ; il fera cet exercice en/dans cinq minutes.

h. Nicolas court 100 mètres en/dans 15 secondes.

---

415 **Complétez par** *pendant* **ou** *depuis*.

Exemples : Il a fait de gros progrès en anglais ***depuis*** l'an dernier.

Pendant les vacances de février, ils iront dans les Hautes-Alpes.

a. Madeleine vit à Toulon .... six ans.

b. Il a étudié sa leçon de sciences .... deux heures.

c. Nous serons en stage .... la semaine du 18 au 22 avril.

d. Les universitaires sont en vacances .... quatre mois par an.

e. Son père travaille chez Renault .... seize ans.

f. .... le week-end, Thomas joue avec ses copains.

g. Elle est en congé de maternité .... le 3 septembre.

h. .... dix-huit semaines, elle pourra s'occuper de son bébé.

---

416 **Associez les éléments pour en faire des phrases (plusieurs possibilités).**

1. tu prenais des cours de français.

2. Anne vit à Paris.

a. Depuis le mois dernier,

3. elle a terminé ses études.

4. Joseph a réussi son examen de psychologie.

5. ils se sont séparés.

b. Il y a trois ans,

6. j'habite chez une copine.

7. on travaille 35 heures par semaine.

8. tu étais journaliste à *Libération*.

---

417 **Faites des phrases sur le modèle donné (parfois plusieurs possibilités).**

Exemples : Elle est partie en Espagne. (6 mois) → ***Il y a*** 6 mois, elle est partie en Espagne.

→ ***Il y a*** 6 mois ***qu'***elle est partie en Espagne.

Elle vit en Espagne. (6 mois) → ***Il y a*** 6 mois ***qu'***elle vit en Espagne.

a. Antoine joue du piano. (5 ans) → ....

b. Aurélie a écrit son premier poème. (4 ans) → ....

c. Jérémy chante. (2 ans) → ....

d. Émilie danse. (1 an) → ....

e. Léopoldine a commencé la sculpture. (2 ans) → ....

f. Léon joue au tennis. (18 mois) → ....

g. Martin a arrêté le dessin. (3 semaines) → ....

h. Sébastien a joué son premier morceau de flûte. (10 ans) → ....

418 Complétez les phrases suivantes par *depuis que, ça fait... que* ou *il y a... que*.

> *Exemples :* **Depuis qu'**il a quitté la maison, il a beaucoup changé.
>
> **Ça fait/Il y a** trois ans **qu'**on court tous les dimanches.

a. .... quelques années .... il a terminé les Beaux-Arts.

b. .... elle travaille à Strasbourg, ... on se voit moins souvent.

c. .... Arthur va à l'école, ... il est beaucoup plus sage.

d. .... deux semaines .... nous ne sommes pas allés au cinéma.

e. .... c'est l'hiver, ... ils ne vont plus à la campagne le dimanche.

f. .... 25 ans .... elle passe toutes ses vacances au même endroit.

g. .... deux semaines .... je suis sans nouvelles de ma sœur.

h. .... on a déménagé, ... notre vie est beaucoup plus agréable.

419 Cochez la bonne formule.

> *Exemple :* L'avion fait Paris-Nice ☐ *dans* ☐ *pendant* ☒ *en* 1 h 15.

a. ☐ *Pendant* ☐ *Il y a* ☐ *Depuis* 5 minutes, j'ai croisé Mme Lejeune à la boucherie.

b. Étienne a changé de style ☐ *pendant qu'* ☐ *depuis* ☐ *depuis qu'* il habite à Cannes.

c. L'usage du dictionnaire est interdit ☐ *pendant* ☐ *dans* ☐ *depuis* les examens.

d. ☐ *Pendant* ☐ *Il y a* ☐ *Depuis* le début du mois, il pleut sans arrêt.

e. Mme Guillot part en retraite ☐ *en* ☐ *pendant* ☐ *dans* 5 mois.

f. Philippe Djian a écrit son dernier roman ☐ *pendant* ☐ *en* ☐ *depuis* quelques mois.

g. Ils ont déménagé ☐ *pendant* ☐ *en* ☐ *il y a* 3 mois.

h. Je ne l'ai pas revue ☐ *pendant* ☐ *il y a* ☐ *depuis* l'âge de 15 ans.

420 Complétez les phrases suivantes en utilisant : *bientôt, aujourd'hui, tout à l'heure, maintenant, tout de suite, cet après-midi, hier, ce matin* **(parfois plusieurs possibilités)**.

> *Exemple :* Il est midi, je vais déjeuner. À **tout à l'heure !**

a. Quand se reverra-t-on ? – ...., j'espère ; peut-être la semaine prochaine.

b. Quelle heure est-il .... ? – Il est exactement 10 h 30.

c. À quelle heure partez-vous ? – ...., je suis en retard et je n'ai pas envie de rater mon train !

d. Que fait-elle aujourd'hui ? – .... elle a cours de 9 heures à midi et ...., elle est libre.

e. Tu connais la date d'........................ ? – Oui, on est le 12 novembre.

f. Où sont-ils allés .... soir ? – Ils sont allés au théâtre voir *Huis clos*.

g. Vous déjeunez avec nous .... ? – Désolée, je suis prise mais pourquoi pas demain ?

h. ...., en sortant du bureau, j'irai chez le coiffeur.

421 Complétez les phrases suivantes par : *jour, journée, an, année, matin, matinée, soir* ou *soirée* (parfois plusieurs possibilités).

   Exemple : Hier, nous avons passé une agréable **soirée** chez des amis.

a. Demain ...., je dois porter la voiture au garage.

b. Dans les .... 70, la morale était beaucoup plus souple qu'aujourd'hui.

c. Dimanche dernier, c'était une belle .... ; il a fait très chaud et on s'est baigné.

d. Il y a trois ...., Jean-Marc a changé d'emploi : il est directeur de la publicité.

e. Vous pouvez me joindre chez moi, dans la .... entre 9 heures et midi.

f. Vous pouvez m'appeler dans la .... mais avant 22 heures.

g. Ce ...., je vais me coucher de bonne heure car j'ai eu une .... difficile.

h. Carole entre en première .... de droit.

422 Associez les éléments qui vont ensemble (plusieurs possibilités).

a. Nous ne connaissons pas encore l'Opéra Bastille.
b. Nous assistons à quelques pièces de théâtre dans l'année.
c. Nous allons 2 ou 3 fois par an au concert.
d. Nous allons au moins 2 fois par mois au restaurant.
e. Nous sommes allés 2 fois au musée en 10 ans.
f. Nous allons 5 ou 6 fois par an visiter des expositions.
g. Nous allons une fois par an au stade.
h. Nous allons plusieurs fois par mois à la bibliothèque.

1. Nous y allons occasionnellement.
2. Nous y allons rarement.
3. Nous y allons très rarement.
4. Nous y allons souvent.
5. Nous y allons de temps en temps.
6. Nous y allons quelquefois.
7. Nous n'y allons jamais.
8. Nous y allons régulièrement.

B. LE TEMPS DES VERBES

423 Indiquez si l'action est présente (PR), future (F), ou passée (PA).

   Exemple : Nous prenons l'avion dans 5 minutes ? **(F)**

a. Elle prend des céréales le matin. ( )

b. J'arrive à l'instant. ( )

c. Il joue du piano depuis 6 mois. ( )

d. Vous allez faire du sport la semaine prochaine ? ( )

e. Tu as des projets pour ce soir ? ( )

f. Ils vont à l'église tous les dimanches. ( )

g. Avant-hier, on a vu un film étrange : *La Cérémonie*. ( )

h. Tu fumes toujours ? ( )

424 Cochez la forme verbale qui convient (parfois plusieurs possibilités).

   Exemple : Tous les matins, il ☐ *s'est levé* ☐ *se lèvera* ☒ *se lève* à 7 heures depuis un an.

a. Dans quelques mois, le bébé de Sandrine ☐ *est né* ☐ *naîtra* ☐ *naît*.

b. Paul ☐ *vit* ☐ *a vécu* ☐ *vivra* en province depuis plusieurs années.

c. Il y a combien de temps que tu ☐ *changeras* ☐ *as changé* ☐ *changes* de numéro de téléphone ?

d. Dans quelques années, on ☐ *a eu* ☐ *aura* ☐ *a* tous des lecteurs de CD-ROM.

e. On ☐ *a demandé* ☐ *demandera* ☐ *demande* l'addition maintenant ?

f. Ce candidat ☐ *a répondu* ☐ *répond* ☐ *répondra* en 10 secondes. C'est le gagnant !

g. Depuis quand ☐ *avez-vous fait* ☐ *ferez-vous* ☐ *faites-vous* de la gymnastique ?

h. L'automne ☐ *a commencé* ☐ *commence* ☐ *commencera* dans quelques jours.

425 **Complétez les phrases suivantes par le verbe entre parenthèses au passé composé, au passé récent, au présent, au futur simple ou au futur proche.**

Exemple : J'**ai rencontré** (rencontrer) la concierge hier matin dans l'escalier.

a. Ta mère .... (téléphoner) il y a quelques secondes.

b. Le musée d'Orsay .... (être) fermé tous les lundis.

c. On .... (pouvoir) visiter l'exposition Cézanne jeudi prochain en nocturne.

d. Depuis l'année dernière, le prix des loyers .... (augmenter) de 5 %.

e. .... (continuer) -vous vos études l'année prochaine ?

f. Les dernières vacances, nous les .... (passer) à Paris.

g. Il .... (lire) un livre en une après-midi.

h. Le ciel est très bas ; je pense qu'il .... (neiger).

426 **Complétez ces questions par le verbe entre parenthèses au temps qui convient.**

Exemple : En combien de temps **as-tu préparé** (préparer) ce superbe gâteau ?

a. Depuis quand .... (conduire) -il ?

b. Vous .... (remplir) ce questionnaire hier soir ?

c. Dans combien de semaines .... (aller) -vous en Angleterre ?

d. Il y a combien de temps qu'on .... (se connaître) ?

e. En combien de temps ils .... (faire) le tour de la Corse l'été dernier ?

f. Quand .... (penser) -elle rentrer ?

g. Pendant combien de temps .... -vous .... l'italien ? (étudier)

h. Ça fait longtemps que tu .... (porter) des lunettes ?

427 **Imaginez librement des questions correspondant aux réponses données.**

Exemple : **Ça fait longtemps que ton ami est ingénieur ?** ← Ça fait 3 ans.

a. .... ← Caen-Paris ? En 2 heures par l'autoroute.

b. .... ← Demain, dans la soirée.

c. .... ← Il y a 5 jours.

d. .... ← Depuis lundi dernier.

e. .... ← Ça fait longtemps.

f. .... ← Pendant le week-end.

g. .... ← Dans une semaine.

h. .... ← Le 22 mars prochain.

Bilan

428 **Complétez ce dialogue par :** *en, il y a/ça fait... que, dans, jamais, depuis, pendant, bientôt.*

– Bonjour monsieur. J'ai envoyé un paquet en Espagne .... **(1)** quatre mois et mon amie ne l'a .... **(2)** reçu. Pouvez-vous me donner une explication ?

– Écoutez madame, habituellement un colis pour l'Espagne arrive .... **(3)** 10 jours maximum. .... longtemps .... **(4)** vous l'avez posté ?

– Je l'ai envoyé .... **(5)** avril dernier, ... **(6)** les vacances de printemps.

– Alors, je comprends peut-être mieux. .... **(7)** le mois d'avril, des grèves de transports ont perturbé le travail des postiers. Ça explique éventuellement le retard de votre paquet.

– Alors, qu'est-ce que je dois faire ?

– Attendez encore .... **(8)** quelques jours. Si .... **(9)** une semaine votre amie n'a rien reçu, revenez me voir : nous ferons une réclamation.

– Bon, j'attends encore mais c'est bien ennuyeux ! Vous me reverrez .... **(10)**. Au revoir monsieur.

– Désolé. Au revoir madame.

XV. LA QUANTITÉ

Il y a deux sortes de trop : le trop et le trop peu.

A. LES NOMBRES

429 Écrivez les chiffres en lettres.

Exemple : Le métro parisien a été mis en service en **mille neuf cents** (1900).

a. Il est long de .... (198) kilomètres.

b. Il a .... (15) lignes.

c. Il dessert .... (366) stations.

d. Un ticket de métro coûte .... virgule .... (1,30) euros.

e. La ligne 14 qui a ouvert en 1998 peut transporter .... (25 000) passagers par heure. On ne met que .... (12) minutes pour faire .... (7) kilomètres.

f. .... (9 433) agents dont .... (2 700) contrôleurs travaillent dans le métro.

g. Il y a environ .... (450 000) voyages impayés par jour.

h. Les amendes dans le métro coûtent entre .... (21) et .... (41) euros.

430 Complétez par un chiffre écrit en toutes lettres.

Exemple : **Soixante-dix-neuf pour cent** (79 %) des ménages ont une voiture en **mille neuf cent quatre-vingt dix-huit** (1998).

a. Ils n'étaient que .... (30 %) en .... (1960).

b. .... (58 %) des couples possédaient un véhicule en .... (1970).

c. .... (28 %) des Français ont au moins deux voitures.

d. Les Français ont fait en moyenne .... (14 400) kilomètres en .... (1996).

e. En France, il y a .... (26 000 000) de voitures.

f. En 1997, les Français ont dépensé .... virgule .... (16,3 %) de leur budget pour les transports.

g. Ils passent en moyenne .... (62) minutes par jour dans les transports.

h. L'âge moyen des voitures en circulation est de .... (7) ans en 1998.

B. INTERROGATION AVEC *COMBIEN*

431 Associez les questions aux réponses.

a. Combien de chaînes de télévision regardes-tu ?

b. Combien d'enfants avez-vous ?

c. Il fait combien, ce sac ?

d. Combien de kilos as-tu perdus ?

e. Vous fumez combien de cigarettes par jour ?

f. Elles coûtent combien, tes lunettes ?

g. Combien de cachets prenez-vous chaque jour ?

h. Il faut combien de temps pour aller chez toi ?

1. J'en prends quatre. Deux pour mon cœur et deux pour mon estomac.

2. Nous avons trois filles et deux garçons.

3. Pas plus de quinze minutes.

4. Elles ne sont pas chères : 50 euros.

5. J'en regarde trois : France 2, France 3 et Arte.

6. Il est en promotion : 70 euros.

7. Malheureusement une vingtaine.

8. J'ai maigri de deux kilos en un mois.

432 La vie des Français. Posez des questions sur la quantité.

Exemple : ***Combien de temps vivent en moyenne les Français ?***

        ← Les Français vivent 74,2 ans et les Françaises 82,1 ans en moyenne (en 1997).

a. ....
.... ← Plus de trois femmes sur quatre entre 25 et 49 ans travaillaient en 1997.

b. ....
← 1,62 m et 60 kg en moyenne pour les femmes contre 1,73 m et 75 kg pour les hommes.

c. ....
.... ← Parmi les députés, 11 % sont des femmes.

d. ....
... ← 60 % des hommes et 40 % des femmes lisent régulièrement un quotidien national.

e. ....
.... ← La moitié des Français et le tiers des Françaises pratiquent un sport.

f. ....
.... ← En 1999, 13,8 % des femmes contre 10,2 % des hommes étaient au chômage.

g. ....
← Les femmes gagnent en moyenne 20 % de moins que les hommes pour un travail identique.

h. ....
← Les Françaises passent en moyenne 4 h 30 chaque jour pour les travaux de la maison.

C. QUELQUES QUANTITATIFS

433 Complétez la recette des grenouilles sautées.

Exemple : Servez avec une bouteille **de** vin blanc.

Pour six personnes, il faut quatre douzaines .... (a) cuisses de grenouilles, un demi-litre .... (b) lait, 200 g .... (c) beurre, quatre cuillerées à soupe .... (d) huile, trois cuille-rées à soupe .... (e) persil haché, une gousse .... (f) ail, un peu .... (g) sel et beau-coup .... (h) poivre.

434 *Quelques, un peu de.* **Rayez ce qui ne convient pas.**

Exemple : Il y a un peu de/~~quelques~~ sable dans ma chaussure.

a. J'ai un peu de/quelques problèmes avec mon chauffage.

b. Il y a encore un peu de/quelques neige en mai.

c. Il me reste quelques/un peu de jours de vacances.

d. Il y a quelques/un peu de touristes en automne.

e. Au bord de la mer, nous mangeons un peu de/quelques poisson.

f. Il y a toujours quelques/un peu de vent sur le bord de mer.

g. J'économise un peu d'/quelques argent pour mes vacances.

h. Quelques/Un peu de Français ne partent jamais en vacances.

435 *Beaucoup, beaucoup de, très.* **Complétez.**

Exemple : Vous devez avoir **très** soif.

a. J'ai .... chance.

b. Elle a .... temps.

c. Elles ont .... faim.

d. Paul a .... enfants.

e. Mes parents voyagent ....

f. Vous avez .... mal à la tête ?

g. Les voisins ont .... vacances.

h. Charles aime .... les animaux.

436 Répondez aux questions en utilisant : *trop (de), beaucoup (de), assez (de), peu (de), pas du tout* **(parfois plusieurs possibilités).**

Exemple : Vous buvez du café ? → Oui, **je bois beaucoup de café.**

→ Non, **je bois peu de café.**

a. Vous aimez les pizzas ? → Non, ...

b. Faites-vous du sport ? → Oui, ...

c. Vous avez beaucoup de temps libre ? → Non, ...

d. Vous étudiez ? → Non, ...

e. Vous mangez des gâteaux ? → Oui, ...

f. Vous téléphonez beaucoup ? → Oui, ...

g. Achetez-vous du chocolat ? → Oui, ...

h. Avez-vous de la mémoire ? → Non, ...

437 *Différent (e) s, certain (e) s, plusieurs, quelques.* **Complétez.**

    Exemple : J'ai fait **quelques** achats samedi.

a. Dans cette boutique, il y a .... genres de robes que tu aimerais.

b. .... jupes sont chères mais elles sont en général abordables.

c. J'ai acheté .... fleurs chez ce fleuriste.

d. Nous sommes allés .... fois dans ce magasin.

e. À la Samaritaine, j'ai hésité entre .... modèles de manteaux.

f. Aux Galeries Lafayette, il y a .... étages pour l'habillement.

g. .... magasins sont ouverts le dimanche.

h. Je vais faire .... courses dans le quartier.

438 **Choisissez entre :** *quelques, quelques-uns, quelques-unes.*

    Exemple : Nous avons **quelques** voisines sympathiques mais **quelques-unes** sont distantes.

a. J'ai .... brochures à vous proposer ; .... datent de l'été dernier.

b. Mes frères ont .... disques laser de Georges Brassens ; .... sont d'anciens 33 tours.

c. La police a .... informations sur sa vie. Mais .... restent à vérifier.

d. Mon voisin possède .... chevaux en Normandie ; .... viennent de Camargue.

e. Le directeur a .... propositions à vous faire ; .... sont très intéressantes.

f. Pierre a .... livres très anciens ; .... datent du XVIIIe siècle.

g. Les enfants ont .... amis étrangers ; .... sont africains.

h. Tu as .... cassettes originales ; .... sont vraiment introuvables.

439 **Complétez au choix par** *chaque, chacun, chacune.*

    Exemple : Elles ont fait un exercice de grammaire **chacune**.

a. Ces stylos plumes coûtent 40 euros ....

b. .... matin, elle va seule à l'école.

c. L'institutrice corrige le devoir de .... élève.

d. Mes enfants ont .... un baladeur.

e. Tes filles étudient .... dans leur chambre ?

f. Elle a donné des bonbons à .... enfant.

g. Ces affiches valent 20 euros ....

h. Julie et Cécile ont eu .... une mauvaise note.

440 *Chaque, tous, toutes*. **Rayez ce qui est inutile.**

Exemple : ~~Chaque/Toutes~~/Tous les jeudis, tu montes à cheval.

a. Tous/Chaque/Toutes les jours, je prends des cours de danse.

b. Chaque/Tous/Toutes lundi, je vais à la piscine.

c. Tous/Chaque/Toutes les semaines, elle joue au tennis.

d. Chaque/Toutes/Tous jour, je fais un jogging.

e. Toutes/Tous/Chaque les matins, il mange des céréales et boit du lait.

f. Tous/Chaque/Toutes les nuits, ils dorment dix heures minimum.

g. Chaque/Toutes/Tous année, je change de salle de sport.

h. Tous/Toutes/Chaque les deux jours, je fais deux kilomètres à la nage.

 441 **Complétez à l'aide de** *tout, toute, tous* **ou** *toutes*.

Exemple : Le professeur corrige **toutes** nos fautes.

a. Ne traduis pas .... le texte.

b. Je ne connais pas .... ses camarades de lycée.

c. .... la classe a cours d'anglais aujourd'hui ?

d. Range .... tes livres.

e. Vous ferez .... ces exercices à la maison.

f. .... ces salles de classe sont libres ?

g. J'ai cours .... la journée.

h. .... les enfants ont mangé à la cantine.

 442 **Soulignez les** *« tous »* **dont le** *S* **final se prononce.**

Exemples : Je prends le bus tous les jours.

Les trains sont <u>tous</u> en retard.

a. Il y a un avion pour les Maldives tous les deux jours.

b. Les avions d'Air France décollent tous de Roissy-Charles-de-Gaulle.

c. Les stewards sont tous très beaux.

d. Tous les Parisiens prennent le métro pour aller travailler.

e. Tous les arrêts sont annoncés dans les autobus.

f. Les billets, je te les ai tous donnés.

g. Je t'ai cherché dans tous les wagons.

h. Les transports parisiens, je les connais tous.

443 *Tous* **ou** *toutes*. **Complétez.**

Exemple : Les magazines sont **tous** en couleurs.

a. J'ai lu .... les gros titres de la presse de ce matin.

b. Ses articles, je les ai .... aimés.

c. .... les sondages politiques vous intéressent.

d. Les petites annonces de *Libération* sont .... originales.

e. Les rubriques « Faits divers » et « Sports », je les ai .... lues.

f. Les élections occupent la première page de .... les quotidiens.

g. Les journalistes sont .... d'accord sur la beauté de ce film.

h. Les revues féminines, je les connais ....

444 *Tout* ou *tous*. **Rayez ce qui ne convient pas.**

 Exemple : Fais attention, elle remarque tout/~~tous~~.

a. J'ai tout/tous compris.

b. Elle vous aime tout/tous.

c. Ne lui dis rien, elle répète tout/tous.

d. Vous venez tout/tous avec nous ?

e. Range tout/tous avant de sortir.

f. Elle mange toujours tout/tous.

g. Ils partent tout/tous dans une heure.

h. Je les accompagne tout/tous à la gare.

445 **Complétez au choix par** *tout, toute, tous, toutes*.

 Exemple : Nous passons **tout** notre voyage de noces en Sicile.

a. .... le monde sait que vous allez vivre en Argentine.

b. Nous déménageons .... nos affaires ce week-end.

c. Vos frères et sœurs ont .... assisté à votre mariage ?

d. Mes amies sont .... venues à la cérémonie.

e. .... les invités nous ont offert de beaux cadeaux.

f. Ma belle-famille a .... organisé : la réception, la musique, l'hébergement.

g. Les mariés ont dansé .... la soirée.

h. Les parents ont .... payé.

446 **Retrouvez quelques expressions avec** *tout* **ou** *toute*.

 Exemple : Il me téléphone à **tout** instant.

a. À .... à l'heure, Éric !

b. Je le ferai de .... cœur.

c. Il est parti à .... vitesse.

d. .... à coup, il est sorti.

e. Je mange des fruits à .... heure.

f. Vous avez .... à fait raison.

g. À .... de suite, Marc !

h. De .... façon, je ne viendrai pas.

D. *EN* EXPRIMANT LA QUANTITÉ

447 **Répondez positivement ou négativement aux questions.**

 Exemple : Vous avez de l'appétit ? → Oui, **j'en ai**.

 → Non, **je n'en ai pas**.

a. Tu m'achètes des cornichons, s'il te plaît ? → Oui, ...

b. Tu prends du pain en rentrant ? → Non, ...

c. Il faut du temps pour être un bon cuisinier ? → Oui, ...

d. Vous mettez du beurre dans votre soupe ? → Non, ...

e. Tu veux de l'huile d'olive ? → Oui, ...

f. Tu manges des petits pois ? → Non, ...

g. Vous voulez de la moutarde avec votre viande ? → Non, ...

h. Tu as des épices pour faire cette recette ? → Oui, ...

448 Imaginez les questions correspondant aux réponses données.

Exemple : **Tu achètes beaucoup de viande ?** ← Oui, j'en achète beaucoup.

a. .... ← J'en veux un morceau.

b. .... ← Un verre, pas plus.

c. .... ← Donnez-m'en trois.

d. .... ← J'en bois beaucoup.

e. .... ← Je n'en mets pas.

f. .... ← J'en mange peu.

g. .... ← Encore un peu, s'il te plaît.

h. .... ← Vous m'en mettez cinq tranches.

Bilans

449 Écrivez les nombres en lettres et faites les bons choix :

Quelques/Assez d' **(1)** informations sur Paris :

La Seine traverse Paris sur quelques/un peu de **(2)** kilomètres, (13) ....
(3) kilomètres exactement. La ville est divisée en (20) .... **(4)** arrondissements.
Chacun/Tous **(5)** n'ont pas la même taille : le (15ᵉ) .... **(6)** représente presque
(10 %) .... **(7)** de la surface totale, alors que le (2ᵉ) .... **(8)** est trop/tout
(9) petit, seulement 1 % de chaque/toute **(10)** la capitale. Il ne fait jamais très/beaucoup
(11) froid à Paris en hiver (en moyenne (5 °C) .... **(12)**), mais l'été, il peut faire
trop/très **(13)** chaud, (25 °C) .... **(14)**.

Au total, Paris et la banlieue comptent (9 300 000) .... **(15)** habitants.
C'est la plus grosse agglomération européenne mais elle est beaucoup/très **(16)** loin
derrière Tokyo avec ses (30 000 000) .... **(17)** d'habitants. La population
de Paris seul est au (5ᵉ) .... **(18)** rang des villes européennes. Dans ses deux
millions d'habitants, certains/beaucoup **(19)** sont étrangers : (16 %) .... **(20)** et
presque quelques/toutes **(21)** les nationalités sont représentées. C'est une vraie ville
cosmopolite.

450 Trouvez le mot juste. Rayez ce qui ne convient pas.

La cliente : *Bonjour madame, je cherche un blouson de cuir.*

La vendeuse : *Oui. Avez-vous une idée précise ?*

La cliente : *Non, je n' en/y (1) ai pas vraiment.*

La vendeuse : *Alors nous avons ici quelques/quelques-uns (2) modèles. Toutes/Tout/ Tous (3) ces blousons sont en cuir noir. Ou bien vous avez ceux-là de chacun/différentes (4) couleurs.*

La cliente : *Oh, mais vous avez très/beaucoup (5) de choix !*

La vendeuse : *Oui, en effet, les blousons sont très/beaucoup (6) à la mode cet hiver. Vous aimez ce type de coupe ?*

La cliente : *Non, elle est trop/beaucoup (7) classique.*

La vendeuse : *Alors, voici un modèle plus sport.*

La cliente : *Il ne m'a pas l'air assez/peu (8) grand.*

La vendeuse : *Voici la taille au-dessus.*

La cliente : *Quels sont les prix de ces blousons ?*

La vendeuse : *Certains/Quelques-uns (9) sont à 250 euros, d'autres à 300 euros. Mais chaque/chacune (10) blouson est très original.*

La cliente : *Je n'ai pas beaucoup/en (11) l'occasion de porter du/de la/des (12) cuir.*

La vendeuse : *Pourtant, ça vous va beaucoup/très (13) bien.*

La cliente : *J'hésite un peu/un peu de (14) entre ces deux-là.*

La vendeuse : *Chacun/Plusieurs (15) a son charme. Vous pourriez les acheter tous/ chaque (16) les deux.*

La cliente : *Je préfère réfléchir, je repasserai. Il vous y/en (17) reste comment/combien (18) dans ma taille ?*

La vendeuse : *Nous en/y (19) avons très/plusieurs (20), vous avez de la/de (21) chance.*

La cliente : *Bien. Dans ce cas, vous pouvez m'en garder un de chaque/quelques-uns (22) jusqu'à demain ?*

La vendeuse : *Sans problème. À demain, madame.*

INDEX

Les chiffres renvoient aux numéros d'exercices

Imprimé en Italie par

LA TIPOGRAFICA VARESE
Società per Azioni

Varese

N° d'Editeur 10130205 Janvier 2006

CORRIGÉS

I. LE GENRE ET LE NOMBRE

1 c. d. f. h.

2 a. F b. M c. F d. M e. M f. F g. M h. F

3 b. c. d. e. g. h.

4 a. F b. F c. M d. F e. F f. M g. F h. M

5 *Conviennent :* a. La b. Le c. Le ... la d. Le e. La f. Le g. La h. La

6 a. Brésil b. Pérou c. Iran d. Chili e. Portugal f. Japon g. Équateur h. Danemark

7 b. Mozambique c. Mexique f. Cambodge

8 a. comédienne b. boulangère c. pharmacienne d. cuisinière e. ouvrière f. jardinière g. musicienne h. informaticienne

9 a. Il est serveur. b. Il est restaurateur. c. Il est présentateur. d. Il est danseur. e. Il est inspecteur. f. Il est directeur. g. Il est acteur. h. Il est coiffeur.

10 a. Elle est parfumeuse. b. Elle est aviatrice. c. Elle est nageuse. d. Elle est patineuse. e. Elle est traductrice. f. Elle est éditrice. g. Elle est skieuse. h. Elle est ambassadrice.

11 a. employé b. enseignante c. marchande d. patron e. avocate f. représentant g. laborantine h. paysan

12 vétérinaire – guide – libraire – secrétaire – dentiste – fleuriste – architecte – scientifique – pianiste – photographe

13 a. C'est une bouchère timide. b. C'est un auteur belge. c. C'est une fermière énergique. d. C'est un professeur sévère. e. C'est un peintre médiocre. f. C'est une animatrice dynamique. g. C'est un médecin antipathique. h. C'est une technicienne formidable.

14 a. Non, mais je connais un Hollandais et une Hollandaise. b. ... un Chinois et une Chinoise. c. ... un Belge et une Belge. d. ... un Espagnol et une Espagnole. e. ... un Australien et une Australienne. f. ... un Suisse et une Suissesse. g. ... un Coréen et une Coréenne. h. ... un Français et une Française.

15 a. une cousine b. un hôte c. une reine d. une chatte e. un époux f. une baronne g. un juif h. une captive

16 a. un gamin b. une paysanne c. une héroïne d. une tigresse e. une veuve f. un fugitif g. une jumelle h. un ami

17 a. c. d. f. g. h

18 *Conviennent :* a. femme b. mariée c. visiteurs d. vacances e. enfants f. bronzés g. mari ... coiffeuse h. demoiselles

19 a. 3 b. 1 c. 6/8 d. 2/4/7

20 a. des taureaux b. des cheveux c. des bleus d. des eaux e. des jumeaux f. des feux g. des carreaux h. des jeux

21 a. des genoux b. des cous c. des bijoux d. des clous e. des choux f. des fous g. des hiboux h. des trous

22 a. un bateau b. un journal c. un château d. un travail e. un cheval f. un corail g. un tableau h. un vitrail

23 a. festivals b. hôpitaux c. bals d. animaux e. carnavals f. maux g. récitals h. capitaux

24 a. souris b. riz – croix – roux c. nez – pays d. ours e. noix – prix f. os – Français g. poids h. Chinois

25 a. yeux b. mesdemoiselles c. messieurs d. mesdames e. gentilshommes f. œufs g. bonshommes h. bœufs

26 a. animaux b. jeux c. yeux d. carnavals e. travaux f. autobus g. oiseaux h. chambres

27 *Conviennent :* a. J' b. Je c. J' d. Je e. Tu f. Tu g. Je h. Tu

28 *Conviennent :* a. visites b. habite c. vas d. dîne e. adore f. loges g. ai h. suis

29 a. Il ... il b. Elle ... elle c. Elle ... elle d. Elle ... elle e. Elle ... elle f. Elle ... elle g. Il ... il h. Il ... il

30 a. 1/2 b. 1/2 c. 2 d. 2 e. 1/2 f. 2 g. 1/2/3 h. 1/2

31 a. Tu vas ... b. Tu te sens ... c. Tu vas ... d. Tu es ... e. Tu as ... f. Tu te portes ... g. Tu as ... h. Tu tousses ... ,

32 a. Vous êtes ... b. Vous avez ... c. Vous venez ... d. Vous aimez ... e. Combien gagnez-vous ? f. Vous êtes ... g. Comment vous trouvez ... h. Vous connaissez ...

33 a. Vous b. Tu c. Tu d. Vous e. Tu f. Vous g. Vous h. Tu

34 *Conviennent :* a. Je b. nous c. On d. On e. Je f. nous g. nous h. On

35 *Conviennent :* a. On b. Nous c. Nous d. On e. Nous f. On g. on ... on h. Nous

36 a. 2 b. 3 c. 2/5 d. 3/4 e. 3 f. 3 g. 1 h. 8 i. 6/7 j. 6

37 *Conviennent :* a. poli b. blessée c. matinale d. portugais e. élégante f. antérieure g. jolie h. bavarde

38 a. européenne b. étrangère c. menteuse d. naturelle e. conservatrice f. merveilleuse g. ancienne h. active

39 *Conviennent :* a. long b. grand ... noire c. petit d. meurtrier e. douce f. privée g. prochaine h. grande

40 a. 3/5/7/8 b. 1/2/4/6

41 a. nouveau b. sèche c. blanche d. jaloux e. fraîche f. belle g. neuve h. vieille

42 a. bel b. royale c. vieil d. marseillaise e. bel f. premier g. fol h. nouvel

43 a. M b. F c. M d. F e. F f. F g. M h. F

44 a. heureux b. français – bas c. nerveux – gras d. courageux e. doux – malheureux f. vieux g. mauvais – jaloux h. gris – faux – frais

45 a. internationaux b. navals c. finals d. normaux e. originaux f. principaux g. banals h. spéciaux

46 a. marron b. blanches c. orange d. vertes e. roses f. bleues ... violettes g. noires h. rouges

47 a. un grand parapluie b. un gros pull en laine c. mon imperméable gris d. mon nouveau bonnet e. mes bottes neuves f. un pantalon épais g. des gants chauds h. une bonne écharpe

48 a. C'est un jeune professeur amusant. b. J'ai une vieille voiture blanche. c. Nathalie Sarraute est un grand écrivain français. d. C'est un petit tableau remarquable./C'est un remarquable petit tableau. e. Mes parents connaissent un bon restaurant parisien. f. Elle vend une jolie table ronde. g. Mon frère travaille dans un beau quartier bourgeois. h. Sophie a deux gros poissons rouges.

Bilans

49 1. chère 2. petit 3. bleu 4. tu 5. fille 6. Il 7. cheveux 8. blonds 9. clair 10. je 11. grande 12. je 13. le 14. beau 15. Nous 16. la 17. nous 18. le 19. la 20. naissance 21. Je

50 1. Je 2. belle 3. comédienne 4. nouvelle 5. J' 6. jeune ... brune 7. verts 8. grande 9. douce 10. vieil 11. cheveux 12. blancs 13. moyenne 14. le 15. Tu 16. une 17. française 18. ans 19. Elle 20. une 21. intéressante 22. le 23. deuxième 24. la 25. prochaine 26. Nous 27. le

II. LES DÉTERMINANTS

51 *Conviennent :* a. chalet b. café c. habitation d. trois pièces e. résidence secondaire f. théâtre g. immeuble h. chambre d'étudiant

52 a. des b. un c. Des d. Une e. une f. un g. Des h. des

53 a. 2/5 b. 6/8 c. 1 d. 2 e. 2/7 f. 1/3 g. 4 h. 6

54 a. une b. un c. une d. une e. un f. une g. Un h. une ... un

55 a. le b. la c. le d. la e. la f. le g. le h. la

56 a. l' b. l' c. la d. la e. la f. le g. l' h. la

57 a. l' b. le c. la d. le e. l' f. la g. le h. la

58 *Conviennent :* a. l' b. la c. le d. la e. L' f. Le ... l' g. la h. L'

59 a. le joueur national b. le dernier jeu c. la piscine olympique d. le cheval noir e. le footballeur européen f. le bateau international g. l'équipe française h. la skieuse suisse

60 a. Le ... l' ... la b. la c. les d. le e. La f. la g. Les h. le

61 a. le b. un c. le d. un e. un f. l' g. le h. un

62 a. un b. L' c. un d. le e. l' f. Le ... la g. L' ... la h. un ... la

63 *Conviennent :* a. un ... le b. le ... l' c. une ... le d. La ... la e. l' f. le ... un g. l' h. le

64 a. un ... un b. des c. la d. le e. Les f. les g. une h. la

65 a. du b. du c. de la d. de la e. de la f. du g. de la h. du

66 a. du b. de la c. du d. du e. de l' f. du g. de la h. de l'

67 *Conviennent :* a. de l' b. de la c. du d. du e. de l' f. du g. du h. de la

68 a. ... des fruits de mer. b. ... de la soupe ? c. ... de la charcuterie ! d. ... de l'eau. e. ... du café ? f. ... des crudités ! g. ... du poisson. h. ... du vin blanc.

69 a. Il boit beaucoup de vin. b. Je veux plus de légumes. c. Ils achètent trop de pain. d. On commande beaucoup de salades. e. Je prends peu de whisky. f. Je désire plus de glace. g. Elles mangent trop de gâteaux. h. Vous demandez un peu d'eau.

70 a. Non, nous n'écoutons pas de musique. b. Non, elle ne joue pas de piano. c. Non, je ne prends pas de pain. d. Non, je n'ai pas de travail ce soir. e. Non, je ne prends pas d'argent. f. Non, il ne fait pas de ski. g. Non, elle n'a pas de monnaie. h. Non, nous ne voulons pas d'ananas.

71 a. Non, je ne mange pas de glaces. b. Non, je n'aime pas les sorbets. c. Non, je ne veux pas de soupe. d. Non, elle ne déteste pas le potage. e. Non, il ne mange pas de poisson. f. Non, ils ne veulent pas manger d'escargots.   g. Non, elle ne préfère pas les desserts.   h. Non, je ne prends pas de fromage.

72 a. Il aime le jazz ?   b. Tu achètes/Vous achetez des biscuits ?   c. Vous mangez/On mange du beurre ?   d. Vous aimez les cuisses de grenouilles ? e. Tu prends/Vous prenez de l'alcool ?   f. Tu manges/Vous mangez des haricots ?   g. Elle aime le chocolat ?   h. Ils veulent de l'eau ?

73 a. des ... un ... le   b. de la/une ... un ... d' ... du ... de la c. le ... du ... le ... des ... de la/une   d. un ... un ... l'   e. du ... de ... de la   f. de l' ... d' ... de la   g. un ... les ... un   h. un ... d' ... de

74 *Conviennent :* a. l' ... de   b. les ... les ... les ... de c. un ... de la/une   d. Le ... des   e. des ... de la ... du ... de   f. l' ... un ... une   g. la ... de ... le   h. du ... de ... de

75 a. 2/4/7   b. 1/8   c. 3/5/6

76 *Conviennent :* a. ce   b. cette   c. ce   d. cet   e. ce f. cette   g. cet   h. cette

77 a. ... cette ceinture en cuir.   b. ... ce pantalon en lin.   c. ... cette paire de boucles d'oreilles.   d. ... cet imperméable beige.   e. ... ces bottes noires. f. ... cet élégant ensemble blanc.   g. ... ce foulard en coton.   h. ... cette montre en acier.

78 a. mon   b. ma   c. ma   d. ma   e. mes   f. mon g. mes   h. ma

79 a. ma b. mon c. mon d. mon e. mon f. ma g. ma h. mon

80 a. ton/tes b. ton c. tes d. ta e. ton f. tes g. ton h. ton

81 a. votre b. votre c. vos d. notre e. nos f. notre g. vos h. nos

82 a. C'est sa moto. b. C'est leur voiture. c. Ce sont ses tickets ...   d. C'est leur mini-bus.   e. Ce sont leurs billets ...   f. C'est leur train.   g. C'est son auto.   h. C'est son vélo.

83 a. leurs ... leur b. leur c. leurs d. leurs e. leurs f. leur g. leur h. leurs

84 Dans leur collège, elles étudient l'anglais. Elles adorent leur professeur mais elles ne font pas toujours leurs exercices ; alors, leurs notes ... Leur mère ... elle interdit à Charlotte et Pauline de voir leurs amies ... Charlotte et Pauline passent donc leur jour ... sans ouvrir leur livre d'anglais.

Bilans

85 1. notre   2. une   3. des   4. une   5. ta   6. mes 7. les   8. votre   9. la   10. le   11. un   12. un 13. un 14. de 15. ton 16. des 17. ce 18. des/ les 19. votre 20. cet 21. la 22. des/les 23. un 24. le

86 1. un 2. le 3. Des 4. des 5. un 6. la 7. de 8. de 9. cette 10. le 11. ses 12. vos

III. LES PRÉPOSITIONS

87 a. à la→1   b. à la→2   c. au→7   d. à l'→4 e. à l'→5   f. à l'→6   g. au→3   h. à la→8

88 *Conviennent :* a. jardin du Luxembourg b. bibliothèque   c. Opéra Bastille   d. musée d'Orsay e. Institut du Monde arabe   f. tour Eiffel   g. Moulin-Rouge   h. Coupole

89 a. aux   b. à la   c. aux   d. au   e. au   f. aux g. à l'   h. à la

90 a. à la→3, à l'→6   b. au→8, aux→4, chez→2 c. au→1   d. à la→3   e. à la→7   f. chez l'→5 g. au→8   h. à l'→6

91 a. chez b. à la c. à la d. chez e. aux f. à la g. à l' h. au

92 a. Argentine   b. Canada   c. Suède   d. Égypte e. Luxembourg f. Chine g. Cameroun h. Portugal

93 *Conviennent :* a. en   b. Au   c. en   d. En   e. en f. au   g. au   h. en

94 a. aux ... en   b. au ... aux   c. en ... au   d. au ... aux

95 a. à b. aux c. à d. en e. à f. à g. au h. en

96 a. à→7, au→4/8, à l'→5, à la→6, aux→3, en→2, chez→1   b. à→7, au→8, à l'→5, aux→3, en→2   c. à→7, au→8, aux→3, en→2, chez→1 d. à→7, au→8, aux→3, en→2   e. à→7, au→8, à l'→5, à la→6, aux→3, en→2, chez→1   f. à→7, au→4, chez→1   g. à→7, au→8, en→2, chez→1 h. à→7, au→8, à l'→5, aux→3, en→2

97 a. Antilles   b. Cuba   c. Sicile   d. Caire   e. Émirats arabes unis   f. Chypre   g. Canaries   h. Vancouver

98 1. d/f   2. g   3. a/e   4. h   5. c   6. b

99 a. de l' ... de la   b. d' ... de   c. du ... de l' d. de ... de   e. de la ... des   f. de chez ... de chez g. de ... d'   h. de la ... de chez

100 a. à ... en b. en ... à c. dans ... au d. à ... à ... à e. sur ... dans f. en ... dans g. par ... de h. à ... chez

101 *Conviennent :* a. pour   b. dans   c. dans   d. à e. par   f. sur   g. après   h. sur

102 a. Tu conduis en ville ou sur autoroute ? b. As-tu vue sur la mer ? c. Le quartier historique est dans le centre-ville. d. Je fais mon marché sur la place Berlioz. e. La Libye se trouve entre l'Algérie et l'Égypte. f. Lyon est à cinq cents kilomètres de Paris. g. Tu t'assois sur la chaise ou dans ce fauteuil ? h. L'avion va voler au-dessus de la Méditerranée.

103 a. sur b. à c. à/jusqu'à d. à/après/avant e. Après f. par g. dans h. pour

104 a. au→7   b. à→5, au→4, en→2/3, au mois de→3, dans→8, à la→1   c. au→4, en→3, au mois

de→3 d. à→5, au→4, en→2, au mois de→3
e. à→5 f. en→6 g. à→5, au→4, en→2/3/8, au
mois de→3, dans→8, à la→1 h. à→5, au→4,
en→2/3, au mois de→3, dans→8, à la→1

105 *Conviennent :* a. en   b. En   c. Avant   d. En
e. Après   f. À   g. Après   h. avant

106 a. de→3/6 b. de→2, d'→4 c. de→1 d. de→2,
d'→4 e. de→5, d'→7 f. de→8 g. de→2/5/8, d'→4/7
h. de→6

107 a. de→3 b. de→2 c. à→1 d. de→6   e. de→4
f. à→7 g. de→5 h. à→8

108 *Conviennent :* a. de   b. de   c. à   d. à   e. d'
f. de   g. de   h. à

109 *Conviennent :* a. à pain – de fleurs b. à café –
de chocolat c. à vin – d'eau d. à thé – de gâteaux
e. à soupe – de vinaigre f. de fruits de mer – à
fromage g. à dessert – de pâtes h. à champagne
– de sable

110 a. de l'   b. de la   c. du   d. de la   e. du   f. des
g. de   h. de

111 a. Ø b. de c. Ø d. Ø e. de f. Ø g. de h. de

112 *Conviennent :* a. de   b. de   c. à   d. à   e. à
f. de   g. de   h. à

113 a. à b. Ø c. à d. Ø e. à f. à g. à h. à

114 a. tennis   b. échecs   c. trompette   d. balle
e. saxophone f. castagnette g. billard h. harmonica

115 a. Ø b. d' c. Ø d. à e. Ø ... à f. Ø g. d'
h. de

116 a. Tu téléphones à l'agence de voyages. b. Il
sait parler anglais. c. Je rêve de partir en
vacances. d. Vous rendez visite à Monsieur Roland.
e. Elle essaie la robe blanche. f. Nous parlons de
l'exposition Cézanne. g. On pense aux enfants.
h. Je vais prendre une baguette.

Bilans

117 1. au 2. Ø 3. En 4. En 5. Ø 6. de 7. Ø 8. à
9. à 10. de 11. en 12. par 13. en 14. Ø 15. par
16. Ø 17. en 18. au 19. Au 20. en 21. à 22. en
23. en 24. à 25. dans 26. d' 27. de 28. À

118 1. d' 2. à 3. à 4. à 5. à 6. Ø 7. au 8. à l'
9. au 10. de 11. de 12. Ø 13. à 14. de 15. Ø

IV. LE PRÉSENT DE L'INDICATIF

119 a. 5 b. 4 c. 6 d. 3/7/8 e. 1 f. 3/7/8 g. 4
h. 2

120 *Conviennent :*   a. ont   b. a   c. ai   d. a
e. a   f. avez   g. as   h. avons

121 a. Il/Elle/On   b. Ils/Elles   c. J'   d. Tu   e. Il/
Elle/On   f. Vous   g. Ils/Elles   h. Nous

122 a. avez   b. as   c. avons   d. a   e. ont   f. ai
g. a   h. ont

123 a. sommes   b. est   c. suis   d. est   e. êtes
f. es   g. sont   h. est

124 a. 7 b. 3 c. 1/8 d. 2 e. 1/8 f. 4 g. 5 h. 6

125 a. êtes   b. est   c. est   d. suis   e. es   f. suis
g. êtes   h. es

126 a. est   b. ai   c. es   d. ai   e. est   f. est   g. est
h. es

127 *Conviennent :* a. ont   b. sont   c. ont   d. sont
e. sont   f. ont   g. ont   h. sont

128 a. est   b. êtes   c. est   d. ai   e. a   f. ai   g. es
h. suis

129 a. ai   b. as besoin   c. est   d. a envie
e. sommes   f. ont peur   g. avons mal   h. sont

130 a. En banlieue parisienne, il y a le Parc d'attractions Astérix. b. Au Grand Palais, il y a l'exposition
Cézanne.   c. À Angoulême, il y a le Festival de la
bande dessinée.   d. Cet hiver à Bercy, il y a Johnny
Halliday. e. Avenue Montaigne, il y a la boutique
Chanel. f. À Paris, il y a de nombreux touristes
italiens.   g. Dans les beaux quartiers, il y a beaucoup d'ambassades. h. Dans le 8e arrondissement,
il y a les Champs-Élysées.

131 a. Il est ... C'est   b. C'est ... Il est   c. Il est
... C'est d. C'est ... Il est   e. C'est ... C'est
f. C'est ... Il est g. C'est ... C'est h. C'est ... Il est

132 *Conviennent :* a. lundi   b. minuit   c. chanteur
d. un bon professeur   e. Laurent   f. médecin
généraliste g. une élève intelligente h. magnifique

133 a. Ce sont   b. Ils sont   c. C'est   d. Ce sont
e. C'est   f. il est   g. Ce sont   h. Ils sont

134 a. En Amérique latine, il y a la Cordillère des
Andes ; c'est une chaîne de montagnes.   b. Au
Canada, il y a le Saint-Laurent ; c'est un long fleuve.
c. Au Brésil, il y a l'Amazonie ; c'est une forêt
immense.   d. Au Népal, il y a l'Everest ; c'est un
grand sommet.   e. En Italie, il y a le Vésuve ; c'est
un volcan actif.   f. En Afrique du Nord, il y a le
Sahara ; c'est un désert important.   g. En France,
il y a la Corse ; c'est une île méditerranéenne.
h. Au pôle Nord, il y a la Laponie ; c'est une région
finlandaise.

135 a. 3/7 b. 5 c. 1/6/8 d. 4 e. 1/6/8 f. 3/7
g. 2 h. 1/8

136 a. Nous   b. Ils/Elles   c. Je/Il/Elle/On   d. Vous
e. Tu   f. Je/Il/Elle/On   g. Nous   h. Vous

137 a. détestent b. adores c. préférons d. aimez
e. skie f. rencontre g. voyage h. bronze

138 a. rangez b. photocopies c. faxe d. classons e. utilisez f. présente g. laisse h. téléphone

139 *Phrases possibles :* a. Je regarde des films comiques. b. En général, je mange de la cuisine française et italienne. c. Je préfère le vin rouge. d. Je pratique un sport individuel : la natation. e. En général, mon mari et moi invitons des amis chez nous. f. Je passe mon dimanche en famille. g. L'été, je porte surtout des jupes. h. Généralement, nous fêtons Noël à la campagne.

140 a. déjeunons b. arrive c. terminent d. dirige e. demandent f. apprécie g. appelez h. engages

141 a. nous rangeons ... b. nous recommençons ... c. nous changeons ... d. Nous déplaçons ... e. nous partageons ... f. nous prononçons ... g. nous remplaçons ... h. nous engageons ...

142 a. achète ... achetez b. appelons ... appelles c. paies/payes ... payons d. essuyez ... essuie e. jette ... jetez f. envoyons ... envoie g. préfère ... préférons h. épelle ... épelez

143 servir – dormir – cueillir – sortir – offrir – devenir – découvrir – venir – courir – ouvrir – tenir – partir – mourir

144 *Conviennent :* a. Il b. Vous c. Tu d. Elles e. Nous f. Je g. Nous h. On

145 a. Tu sers ... b. Tu pars ... c. Tu sens ... d. Tu sors ... e. Tu cours ... f. Tu ouvres ... g. Tu viens ... h. Tu offres ...

146 a. envahissent ... salissent b. embellit ... devient c. ouvrent ... finissent d. noircissent ... réagit e. élargissent ... recouvrent f. raccourcissent ... pâlit g. découvre ... sort h. mûrissent ... cueillons

147 a. 2/6 b. 1/8 c. 7 d. 3/5 e. 2/6 f. 3/5 g. 4 h. 3/5

148 prendre – devoir – recevoir – pouvoir – boire – vouloir – décevoir

149 a. 2/8 b. 7 c. 6 d. 4 e. 1/5 f. 4 g. 2/3/8 h. 6

150 a. lis b. conduis c. suis d. mets e. peins f. inscris g. vois h. perds

151 a. entendent ... entend b. éteins ... éteignent c. connaît ... connaissent d. traduisent ... traduis e. vivent ... vit f. prévoient ... prévois g. savent ... sait h. décris ... décrivez

152 a. prends b. boivent c. voulons d. prenez e. peux f. recevons g. viennent h. devons

153 a. peux b. veux c. voulez d. devons e. pouvons f. veulent g. pouvez h. voulez i. voulez j. dois

154 a. buvons ... b. prennent ... c. peuvent ... d. recevez ... e. doivent ... f. venons ... g. veulent ... h. boivent ...

155 a. font→5 b. revient→7, meurt→3, croit→4/8 c. revient→7, meurt→3, croit→4/8 d. revient→7, meurt→3, croit→4/8 e. dites→6 f. sommes→1/2 g. vais→1 h. t'appelles→4

156 a. jette b. prend c. lève d. met e. sort f. paient/ payent g. vends h. mènent

157 *Conviennent :* a. vit b. lève c. sommes d. s'appellent e. sais f. brûle g. va h. font

158 *Conviennent :* a. Vous b. tu c. Elle d. je e. Je f. J' g. Je h. Il

159 a. paraître b. écrire c. attendre d. mentir e. préférer f. ouvrir g. promettre h. sentir

160 a. Tu étudies ... b. Vous remplissez ... c. Vous devez partir ... d. Tu vas ... e. Tu peux ... f. Vous dites ... g. Vous faites ... h. Tu crains ...

161 a. je suis propriétaire de mon logement. b. je rends service à mes voisins. c. je prends l'ascenseur pour monter chez moi. d. j'habite dans une grande ville. e. je fais les courses dans mon quartier. f. je connais mes voisins. g. je vis seul dans mon appartement. h. je vais chez mes voisins ...

162 a. Il souffre ... b. Je reste ... c. Elle ne connaît pas ... d. Tu tousses ... e. Il n'a pas ... f. Tu suis ... g. Il se sent mal. h. Je dois prendre ...

163 a. raccourcissent b. vont c. allonge d. amincit e. grossissons f. peuvent ... porter g. dois ... élargir h. rétrécissent

164 a. Nous ne pratiquons pas ... b. Elles font ... c. Vous aimez ... d. Ils boxent ... e. Elles prennent ... f. Vous courez ... g. Nous nageons ... h. Vous savez jouer ...

165 a. se lève ... apparaissent b. joue ... fait c. commence ... sont d. interprètent ... répètent e. applaudissent ... appellent f. saluent ... partent g. tient ... s'appelle h. a ... plaisent

166 a. Vous désirez payer b. Voulez-vous déjeuner c. vous pouvez aller chercher d. Souhaitez-vous réserver e. vous pouvez me montrer f. je dois vous quitter g. J'aimerais goûter h. Je n'aime pas devoir manger

167 a. Les Parisiens partent en vacances au mois d'août. b. Le Tour de France arrive aujourd'hui. c. L'exposition Picasso ouvre en octobre. d. Les prix augmentent le 1ᵉʳ août. e. L'autoroute A6 ferme pendant quinze jours. f. Le film *Taxi 2* sort aujourd'hui. g. Les négociations entre syndicats et patronat débutent. h. Le prix de l'essence baisse.

168 a. 4 b. 6 c. 7 d. 2/3/8 e. 6 f. 2/3/8 g. 1/5 h. 2/3/8

169 a. J'entends parler ... On ne dit pas b. Je n'entends jamais ... j'écoute c. Il sort ... Nous partons d. Nous connaissons ... Ils ne savent pas e. Ils mettent ... je prends f. il faut ... Vous devez

... Vous pouvez g. Nous voyons ... Vous regardez h. Je fais ... Elles veulent

170 a. suis en train de servir   b. est en train de préparer   c. est en train de faire   d. est en train de cuire   e. sont en train de développer   f. est en train de soigner   g. êtes en train de parler   h. es en train d'hésiter

171 a. ... je suis en train de prendre une photo. b. ... le bébé est en train de dormir.   c. ... le peintre est en train de faire votre portrait.   d. ... les employés sont en train de déjeuner.   e. ... elle est en train de regarder la télévision.   f. ... nous sommes en train d'agrandir la chaussée.   g. ... il est en train de pleuvoir.   h. ... Claire est en train de se doucher.

172 *Phrases possibles :* a. Je suis en train de goûter à la tarte aux pommes.   b. Je suis/Nous sommes en train de manger du foie gras.   c. Il est en train de mettre du gigot d'agneau dans l'assiette.   d. Je suis/Nous sommes en train de couper le pain. e. Elles sont en train de prendre un gâteau au chocolat.   f. Il est en train de parler au serveur. g. Je suis en train de servir du vin.   h. Je suis en train de mélanger la vinaigrette.

173 a. 3/6   b. 4   c. 5   d. 8   e. 1/7   f. 8   g. 2   h. 2

174 a. nous   b. se   c. se   d. vous   e. se   f. se g. vous   h. nous

175 a. je me lève   b. je me lave   c. je m'habille d. je m'en vais   e. je me mets   f. je m'arrête   g. je m'occupe   h. je me presse

176 a. je m'occupe   b. elle s'intéresse   c. tu te souviens   d. vous vous moquez   e. il s'absente f. nous nous promenons   g. elles s'appellent   h. ils se couchent

Bilans

177 1. m'appelle   2. viens   3. prie   4. suis en train de repeindre   5. m'essuie   6. fait   7. pouvez 8. semble   9. avez   10. passons   11. est   12. voyez 13. a   14. peux   15. donne   16. est   17. dort 18. sont   19. prends   20. faites   21. connaissez 22. nous contactons   23. prenons 24. va   25. faut

178 1. me lève   2. m'occupe   3. réveille   4. buvons 5. dorment   6. prends   7. débarrasse   8. lave 9. suis   10. promène   11. pars 12. prépare 13. fais 14. me dépêche 15. ouvre   16. partent   17. vient 18. sert   19. fermons   20. rentrons   21. sommes 22. dînons   23. faisons   24. nous couchons 25. travaillons   26. avons

V. LA NÉGATION

179 a. n'est pas   b. ne sent pas   c. n'est pas d. ne fait pas   e. ne déteste pas   f. n'ont pas   g. ne sont pas   h. n'a pas

180 a. Je ne classe pas ces dossiers.   b. Tu n'es pas prêt pour l'examen.   c. Marie n'habite pas la France.   d. Nous ne parlons pas allemand.   e. Elles ne sont pas libres le samedi.   f. Vous ne connaissez pas le nouveau présentateur.   g. Nous ne sommes pas d'accord avec vous.   h. Ils ne sont pas mariés.

181 a. On ne met pas ...   b. ... ça ne se fait pas. c. On ne sauce pas ...   d. ... ce n'est pas poli. e. On ne chante pas ...   f. On n'aspire pas ...   g. On ne se mouche pas ...   h. On ne noue pas ...

182 a. Juliette Binoche n'est pas ...   b. On n'applaudit pas ...   c. Un metteur en scène ne dirige pas ... d. Le costumier ne s'occupe pas ...   e. L'ouvreuse ne vend pas ...   f. Le producteur ne fabrique pas ... g. Le chef d'orchestre ne finance pas ...   h. La diva ne filme pas ...

183 a. Non, je ne prépare pas/nous ne préparons pas de concours d'entrée.   b. Non, je ne remplis pas de fiche d'inscription.   c. Non, elle n'obtient pas de diplôme.   d. Non, nous ne prenons pas de cours particuliers.   e. Non, je ne poursuis pas/nous ne poursuivons pas d'études.   f. Non, tu ne donnes pas/vous ne donnez pas de cours d'anglais à 14 h. g. Non, ils n'ont pas d'examens.   h. Non, il n'a pas de professeurs intéressants.

184 a. Non, je ne mets pas de sucre dans mon café. b. Non, je ne mange pas/nous ne mangeons pas de pain ...   c. Non, je ne prends pas/nous ne prenons pas de pâtes ...   d. Non, il n'y a pas de mayonnaise ... e. Non, je ne veux pas de miel ...   f. Non, il n'y a pas de lardons ...   g. Non, je ne bois pas d'eau avec le fromage.   h. Non, il n'y a pas d'ail ...

185 *Conviennent :* a. l'   b. de   c. de   d. d'   e. le   f. de g. les   h. la

186 a. Je n'ai pas beaucoup de temps.   b. Elle n'a pas assez de rendez-vous.   c. Je ne fais pas trop de sport.   d. Je ne fais pas/Nous ne faisons pas assez de bénéfices.   e. Nous n'avons pas trop de travail. f. Je ne vois pas trop de films.   g. Les enfants n'ont pas assez d'argent.   h. Mes amis n'ont pas beaucoup de congés.

187 a. 4   b. 5   c. 8   d. 2   e. 7   f. 6   g. 1   h. 3

188 a. Mais, personne ne parle !   b. Mais, rien ne bouge !   c. Mais, personne ne regarde !   d. Mais, rien ne s'allume !   e. Mais, personne ne pleure ! f. Mais, rien ne gêne !   g. Mais, rien ne fonctionne ! h. Mais, personne n'écoute !

189 a. Je n'écris à personne.   b. Je ne travaille avec personne.   c. Je ne parle/Nous ne parlons de rien. d. Je n'ai/Nous n'avons confiance en personne. e. Je ne discute/Nous ne discutons de rien.   f. Je ne suis fâché contre personne.   g. Je ne chante/Nous ne chantons pour personne.   h. Je ne pense à rien.

190 a. Je ne travaille plus ...   b. Je ne veux/Nous ne voulons rien.   c. Je ne passe jamais ...   d. Je n'ai/ Nous n'avons aucun problème.   e. Elle ne vit plus ...

f. Ils ne vont jamais ... g. On n'a aucun projet. h. Je n'invite/Nous n'invitons jamais ...

191 a. ne sourit pas/jamais b. n'est jamais c. ne connaît rien d. n'accueille personne e. n'a aucune f. ne trouve rien g. n'est absolument pas h. n'ai aucun

192 *Conviennent :* a. ne ... pas b. N' ... rien c. n' ... pas d. N' ... jamais e. n' ... rien f. ne ... plus g. n' ... plus h. ne ... personne

193 *Phrases possibles :* a. Je n'ai ni carte de crédit ni chéquier. b. Ça ne coûte que 17 euros. c. Je ne demande ni l'addition ni le champagne. d. J'ai un compte bancaire sans intérêts. e. Il ne nous prête que 35 euros. f. Je ne rembourse ni la banque ni la poste. g. Elle sort sans argent de poche. h. Nathalie ne gagne ni bien ni mal sa vie.

194 a. Je ne vais pas fêter le 14 Juillet. b. Il ne pense pas venir. c. Je ne souhaite pas me marier. d. Il ne faut pas rentrer tard. e. Vous ne voulez pas danser avec moi ? f. Je n'aime pas célébrer Noël. g. Je ne désire pas offrir de cadeau. h. Vous ne devez pas assister au mariage.

195 a. Elle nous demande de ne pas parler fort. b. Veuillez ne pas fumer s'il vous plaît. c. J'ai peur de ne pas le reconnaître. d. Je suis content de ne pas être à l'école. e. Elles sont déçues de ne pas venir. f. Elles disent de ne pas rentrer. g. Je vous prie de ne pas bouger. h. Elle préfère ne pas sortir seule.

Bilans

196 1. ne ... pas 2. ne ... pas 3. n' ... pas 4. sans 5. n' ... pas 6. n' ... que 7. ne ... plus 8. sans 9. ne ... pas 10. n' ... ni ... ni 11. ne ... rien 12. n' ... jamais 13. ne ... pas/jamais 14. n' ... personne 15. ne ... aucune 16. ne ... aucune 17. rien 18. ne 19. ne ... rien 20. ne 21. pas 22. n' ... pas 23. ne ... pas 24. ne ... plus

197 1. n' ... pas de 2. n' ... pas 3. n' ... ni ... ni 4. ne ... plus 5. personne ne 6. Rien ne 7. ne ... jamais 8. n' ... jamais 9. ne ... rien 10. ne ... personne 11. ne ... que 12. n' ... aucun/pas de

VI. L'INTERROGATION

198 a. Tu vas chez tes parents ? b. Tu prends le train ? c. Tu pars longtemps ? d. Tu pars seule ? e. Tu vas faire du bateau ? f. Vous partez bientôt ? g. Je vous accompagne/Tu veux que je vous accompagne à l'aéroport ? h. Tu me téléphones à l'arrivée ?

199 a. Est-ce que tu emportes ... b. Est-ce que tu as ... c. Est-ce que les fenêtres sont ... d. Est-ce que le chien est ... e. Est-ce que tu as ... f. Est-

ce que je peux ... g. Les enfants, est-ce que vous n'oubliez ... h. Jacques, est-ce que tu mets ...

200 a. Tu as visité ... b. Est-ce que vous prenez ... c. Est-ce qu'il aime ... d. Ils parlent ... e. Est-ce qu'on peut ... f. Vous allez ... g. Est-ce que tu peux ... h. Ils ont le programme ...

201 a. Est-ce que la bibliothèque est agréable ? b. Est-ce que la cinémathèque se trouve au 2ᵉ étage ? c. Est-ce qu'il est vieux ? d. Est-ce qu'il accueille beaucoup de visiteurs ? e. Est-ce que le Musée d'Art Moderne se trouve au 5ᵉ étage ? f. Est-ce qu'on peut étudier des langues étrangères au Centre Pompidou ? g. Est-ce que le CCI présente des expositions ? h. Est-ce que nous devons visiter ce bâtiment ?

202 a. Vivez-vous ... b. Allez-vous ... c. Étudiez-vous ... d. Habitez-vous ... e. Cherchez-vous ... f. Faites-vous ... g. Remplissez-vous ... h. Pouvez-vous ...

203 a. Aimes-tu leur ... b. Est-elle loin du ... c. Vont-ils organiser ... d. Ont-ils un ... e. Es-tu invitée ? f. Connais-tu la ... g. Peut-on y aller ... h. Faut-il apporter ...

204 a. Marche-t-il vite ? b. Parle-t-on fort ? c. Écoute-t-elle ... d. Visite-t-il ... e. Prépare-t-elle ... f. Passe-t-il ... g. Téléphone-t-on ... h. Invite-t-elle ...

205 a. Ta sœur lit-elle ... b. Vos amis voyagent-ils ? c. Jean comprend-il ... d. Le film finit-il ... e. Brigitte attend-elle ... f. Son frère peut-il ... g. Votre mari doit-il ... h. Véronique écrit-elle ...

206 a. Claire change-t-elle ... b. Joseph aime-t-il ... c. Catherine a-t-elle ... d. Jean-Marc bricole-t-il ... e. Le professeur aide-t-il ... f. Ce malade mange-t-il ... g. Jacqueline aime-t-elle ... h. Paul étudie-t-il ...

207 a. Qu'est-ce que tu préfères ? b. Qu'est-ce qu'elle va acheter ? c. Qu'est-ce que Philippe lit ?/ lit Philippe ? d. Qu'est-ce que tu prends ? e. Qu'est-ce qu'il fait ? f. Qu'est-ce que vous étudiez ? g. Qu'est-ce qu'elle aimerait voir ? h. Qu'est-ce que vous mangez ?/qu'on mange ?

208 a. 8 b. 1 c. 5 d. 7 e. 6 f. 3 g. 4 h. 2

209 a. Est-ce que b. Qu'est-ce qu' c. Est-ce que d. Est-ce qu' e. Est-ce que f. Qu'est-ce qu' g. Qu'est-ce que h. Est-ce qu'

210 a. 3/4/7/8 b. 1/2/5/6

211 a. 1 b. 3 c. 1 d. 2 e. 2 f. 3 g. 3 h. 2

212 a. Qui vient ... b. Qui prend ... c. Qui veut ... d. Qui sait ... e. Qui connaît ... f. Qui lit ... g. Qui se marie ? h. Qui va ...

213 a. Que joue-t-elle ... b. Qu'achètes-tu ... c. Que pensez-vous ... d. Que préfère Béatrice ? e. Qu'offret-elle ... f. Que décident-ils ... g. Qu'étudie Marc ? h. Que disent les enfants ?

214 a. Que b. Qui c. Que d. Qui e. Qui f. Que g. Qui h. Que

215 a. quoi b. quoi c. quoi d. Que e. quoi f. Que g. Que h. quoi

216 a. Quels b. quelle c. quel d. quels e. Quelle f. quelle g. Quel h. Quelles

217 a. Quelle est votre... b. Quels sont vos... c. Quelles sont vos ... d. Quelle est votre ... e. Quel est votre ... f. Quels sont vos ... g. Quel est votre... h. Quelles sont vos ...

218 a. Où fait-il des études ? b. Où vit-il ? c. Où habite-t-il ? d. Où Valentine se marie-t-elle ?/Où se marie Valentine ? e. Où travaille-t-elle ? f. Où passe-t-elle ses vacances ? g. Où son appartement se trouve-t-il ?/Où se trouve son appartement ? h. Où fait-elle de la gymnastique ?

219 a. D'où arrivent-elles ? b. Où Jean travaille-t-il ?/Où travaille Jean ? c. Par où entre-t-on ? d. Où leur mariage aura-t-il lieu ?/Où aura lieu leur mariage ? e. Où ranges-tu ta voiture ? f. D'où Laurent vient-il ?/D'où vient Laurent ? g. Où as-tu trouvé ce joli vase ? h. D'où va-t-on envoyer cette lettre ?

220 a. Où faut-il descendre ? b. Par où peut-elle entrer ? c. Où arriveront-ils ? d. D'où arrives-tu ? e. D'où téléphone-t-il ?/D'où l'envoyé spécial téléphone-t-il ? f. Par où les cambrioleurs sont-ils passés ? g. Où descendent-elles ? h. Par où ferez-vous un détour ?

221 a. 1/3/7 b. 6 c. 1/7 d. 4 e. 2/5 f. 8 g. 1/7 h. 5

222 a. 3/8 b. 4 c. 2/7 d. 2 e. 3/8 f. 1 g. 2/6/7 h. 5

223 *Phrases possibles :* a. Comment venez-vous ? b. Comment vas-tu ? c. Comment allume-t-on l'électricité/la minuterie ? d. Comment travailles-tu en anglais/Comment va ton anglais ? e. Comment progresse-t-il ? f. Comment vous appelez-vous ? g. Comment travaillez-vous ? h. Comment circule-t-on dans Lyon ?

224 a. comment b. Pourquoi c. Comment d. comment e. Pourquoi f. Pourquoi g. comment h. Pourquoi

225 a. 5 b. 7 c. 1 d. 8 e. 2 f. 4 g. 3 h. 6

226 a. combien d' b. combien c. combien d. Combien e. Combien d' f. combien g. combien de h. combien de

227 a. Où se trouve la Bourgogne ?/Où la Bourgogne se trouve-t-elle ? b. Quelle est la principale économie bourguignonne ? c. Quand la Bourgogne est-elle devenue une province fran-çaise ? d. Pourquoi est-elle devenue française ? e. Comment peut-on aller en Bourgogne ? f. Quels plats/Que peut-on déguster en Bourgogne ? g. Combien de départements constituent la Bourgogne ? h. Quelles sont les grandes villes touristiques ?

228 a. Quand Bécassine apparaît-elle/Quand apparaît Bécassine pour la première fois ? b. Qui sont les auteurs de Bécassine ?/Comment s'appellent les auteurs de Bécassine ?/Qui a inventé les aventures de Bécassine ? c. Comment gagne-t-elle sa vie ? d. Pourquoi a-t-elle de nombreux problèmes ? e. Combien d'albums d'Astérix le Gaulois Goscinny et Uderzo ont-ils produits ? f. Comment s'appelle l'inséparable ami d'Astérix/Comment l'inséparable ami d'Astérix s'appelle-t-il ? g. Où les aventures d'Astérix sont-elles publiées/Où sont publiées les aventures d'Astérix pour la première fois ? h. Pourquoi ces deux Gaulois sont-ils très forts ?

229 a. Qu'achète-t-on le 1er novembre ?/Pourquoi achète-t-on des fleurs le 1er novembre ? b. Comment appelle-t-on le 1er mai ? c. Quand le jeudi de l'Ascension arrive-t-il ?/Combien de jours après Pâques le jeudi de l'Ascension arrive-t-il ? d. Quelles sont/Quand sont les deux fêtes corres-pondant à la fin des deux guerres mondiales ?/Combien de fêtes correspondent à la fin des deux guerres mondiales ? e. Pourquoi la fête nationale est-elle le 14 juillet ? f. Que célèbre-t-on le 25 décembre ?/De qui célèbre-t-on la naissance le 25 décembre ? g. Pourquoi réveillonne-t-on la nuit de la Saint-Sylvestre ? h. Que reçoivent les enfants le jour de Pâques ?/Les enfants reçoivent quoi le jour de Pâques ?

Bilans

230 1. quel 2. D'où 3. Quelle 4. Que 5. comment 6. Où 7. qui 8. Combien d' 9. quand 10. pourquoi 11. quelle 12. Que

231 a. Qui a 5 semaines de congés payés ? – Combien de semaines de congés payés ont-ils ? b. Quand/En quelle saison vont-ils à la mer ? – Où passent-ils leurs vacances ? c. Quand/Quel mois partent-ils ? – Comment/Par quel moyen partent-ils ? d. Où vont-ils tous les jours ? – Pourquoi vont-ils à la plage ? e. Qu'aiment faire les enfants ? – Où les enfants aiment-ils s'amuser ? f. À quoi jouent-ils ? – Que font-ils ? g. Que font les parents ? – Que font-ils d'autre ?/Que font-ils encore ?

VII. L'IMPÉRATIF

232 b. Utilisez c. Avance f. Conservez h. Empruntez

233 a. fermons ... b. donnez ... c. laisse ... d. range ... e. arrosez ... f. débranchons ... g. arrête ... h. branchez ...

234 a. Mange … b. Buvez … c. Prenons … d. Fais … e. Sortons … f. Sois … g. Ayez … h. Pars …

235 a. Ne traînez pas … b. Ne parlez pas … c. Ne passe pas … d. N'oubliez pas … e. Ne parle pas … f. Ne restez pas … g. Ne bouge pas … h. Ne fermez pas …

236 a. Ne prenez pas … b. Ne dépassez pas … c. Ne mettez pas … d. Ne roulez pas … e. Ne conduisez pas … f. Ne garez pas … g. Ne franchissez pas … h. Ne faites pas …

237 a. N'achetez pas … b. Réserve … c. Enregistrons … d. Ne faites pas … e. Ne demandons pas … f. Téléphone … g. Ne prends pas … h. Ne vérifions pas …

238 a. Ne faites pas … b. Prenez … c. Réunissez … d. N'allez pas … e. Suivez … f. Ne perdez pas … g. Goûtez … h. Servez …

239 a. enlever   b. allez   c. frotter   d. écouter   e. N'oubliez pas   f. Sonner/Sonnez   g. veuillez   h. fermer

240 a. Fais-toi … b. Habillons-nous … c. Faites-vous … d. Douche-toi … e. Lavons-nous … f. Coupez-vous … g. Rase-toi … h. Brossons-nous …

241 a. Brosse-toi … b. Faites-vous … c. Enfermez-vous … d. Balance-toi … e. Occupons-nous … f. Tiens-toi … g. Éloignons-nous ! h. Pressez-vous …

242 a. Ne nous assurons pas … b. Ne vous renseignez pas … c. Ne t'inquiète pas … d. Ne nous intéressons pas … e. Ne nous interrogeons pas … f. Ne t'informe pas … g. Ne nous adressons pas … h. Ne t'abonne pas …

243 a. Ne t'inquiète pas … b. Ne vous préparez pas … c. Ne te renseigne pas … d. Occupez-vous … e. Ne nous adressons pas … f. Munis-toi … g. Ne vous préoccupez pas … h. Fournissez …

244 a. Ne te fais pas de souci.   b. Ne vous inquiétez pas pour moi.   c. Asseyez-vous dans ce fauteuil.   d. Repose-toi plus souvent.   e. Force-toi à réussir.   f. Mettez-vous à l'aise.   g. Ne nous fâchons pas.   h. Ne nous mêlons pas de ça.

245 a. Préparez-le ! b. Nourrissez-les ! c. Étendez-la ! d. Remettez-le en ordre ! e. Remplissez-le ! f. Repassez-la ! g. Finissez-la ! h. Passez-le !

246 a. Ne la balaie pas.   b. Ne les lave pas.   c. Ne les range pas.   d. Ne le cire pas.   e. Ne les nettoie pas.   f. Ne le fais pas.   g. Ne les lessive pas.   h. Ne le vide pas.

247 a. Ne leur posons pas … b. Envoie-lui … c. Ne lui répondez pas.   d. Obéis-lui.   e. Racontez/Raconte-lui … f. Demande-leur … g. Prêtons-leur … h. Ne leur empruntez pas …

248 a. Appelez-nous … b. Prête-moi … c. Donnons-leur …   d. Demande-nous … e. Envoyez-lui …

f. Téléphonons-lui !   g. Passe-moi …   h. Indiquons-lui …

249 a. Ne lui emprunte pas … b. Ne leur parlez pas … c. Ne nous abonnez pas … d. Ne me montre pas … e. Ne leur commandons pas … f. Ne m'apportez pas de fleurs.   g. Ne m'emmène pas …   h. Ne me conduisez pas …

250 a. Donnez-moi … b. Ne me rends pas … c. Ne me prêtez pas de parapluie.   d. Raccompagne-moi … e. Écris-moi encore.   f. Ne me dites pas … g. Ne me demande pas … h. Apportez-moi …

251 a. 6   b. 7   c. 1   d. 2   e. 3   f. 4   g. 8   h. 5

252 a. N'en achète pas.   b. N'y allons pas.   c. N'en mange pas.   d. N'y passez pas.   e. N'en buvez pas.   f. N'y retournons pas.   g. N'en demandons pas plus.   h. N'en donne pas moins.

253 a. Allez-y … b. Choisis-en … c. Restons-y … d. Consommez-en peu.   e. Séjournons-y … f. Offrez-en … g. Retrouvons-y … h. Faites-en …

254 a. passons-y.   b. n'en apporte pas.   c. partons/partez-y.   d. n'en donnons pas.   e. prends-en.   f. ne le goûte pas.   g. n'y passe pas.   h. n'en offrons pas.

255 a. N'y touchons pas.   b. Donnez-en aux enfants.   c. N'y allez pas trop vite.   d. N'en faites pas trop.   e. Distribuons-en plusieurs.   f. Buvons-en quelques gouttes.   g. N'en prends pas deux.   h. Manges-en un petit peu.

256 a. n'y allez pas.   b. ne la prends pas.   c. n'en achetons pas.   d. n'en choisissez pas.   e. commandez-en un.   f. passes-y tes vacances.   g. prenons-en une.   h. n'en ayez pas.

Bilans

257 a. Arrêtez-vous de fumer !   b. Ne mangeons pas trop … c. Consommez plus de … d. Fais du sport … e. Prends ton temps !   f. Passez plus de … g. Lisons et sortons pour le plaisir !   h. Dormons suffisamment et ne nous couchons pas après minuit !

258 a. Enlève tes mains … b. Parle moins fort ! c. Occupe-toi de … d. Va jouer … e. Ne t'enferme pas … f. Ne te balance pas … g. Réfléchis avant … h. Laisse passer … i. Ne mets pas … j. Finis ta soupe !   k. Tiens-toi droit !

VIII. LES PRONOMS COMPLÉMENTS

259 a. Nous l'avons lu   b. on l'a vue   c. je les aime   d. on l'a vu   e. on le surnomme   h. Vous ne la reconnaissez

260 a. 4   b. 2   c. 1/3   d. 4   e. 2/3   f. 4   g. 1/3   h. 2

261 a. je l'utilise souvent. b. elle l'enregistre ... c. nous le louons. d. on le branche. e. nous les connaissons. f. ils les vérifient. g. je les reçois. h. je l'utilise.

262 a. Nous les faisons ... b. Je la vide. c. Ma femme l'arrose. d. Les enfants les retrouvent. e. On la range ... f. ... ma femme l'invite à déjeuner. g. ... on la fait dehors ... h. ... on les reçoit.

263 *Phrases possibles :* a. Vous prenez le train à la gare de Lyon ? b. Elle achète souvent le journal ? c. Il lit souvent ce magazine ? d. Vous écoutez les informations ? e. Il prend la voiture ? f. Voyez-vous souvent vos amis ? g. Vous prenez le métro tous les jours ? h. Vous connaissez cet homme ?

264 a. 5 b. 1 c. 2 d. 7 e. 3 f. 8 g. 4 h. 6

265 a. il sait l'utiliser. b. je ne dois pas l'envoyer. c. ils veulent l'essayer. d. tu dois le lire. e. nous ne savons pas le conduire. f. je ne peux pas la soulever. g. il veut le vendre. h. je peux la taper ...

266 a. je le sais. b. elle peut le demander. c. je ne le veux pas. d. tu ne pourras pas le dire. e. il ne le voudra pas. f. nous ne pouvons pas l'assurer. g. elle peut l'expliquer. h. je veux le relire.

267 a. t' b. me c. me d. t' e. te f. me g. m' h. te

268 a. je ne vous téléphonerai pas/nous ne vous téléphonerons pas. b. je te donnerai ... c. tu ne me l'envoies pas ... d. je vous interrogerai/nous vous interrogerons ... e. vous me donnez votre ... f. je vous écrirai ... g. je ne t'oublierai pas. h. vous ne me posez pas ...

269 a. Vous devez nous encourager ! b. Tu dois te regarder ... c. Nous devons nous intéresser ... d. Tu dois m'expliquer ... e. Vous devez me demander ... f. Vous devez nous dire ... g. Tu dois nous écouter ... h. Tu dois te forcer ...

270 a. me b. l' c. vous d. les e. te f. la g. t' h. nous

271 a. Je lui→1 b. Je lui→2 c. Je lui→3 d. Je l'→4 e. Je le→5 f. Je la→6 g. Je lui→7 h. Je l'→8

272 a. les b. les c. leur d. leur e. les f. leur g. leur h. les

273 a. 3 b. 2 c. 1 d. 2/3 e. 2/3 f. 1 g. 1 h. 3

274 *Phrases possibles :* a. Elle enseigne le français aux étudiants étrangers ? b. Croisez-vous souvent votre voisine ? c. Connaissez-vous ces chanteurs ? d. Invitez-vous parfois votre professeur ? e. As-tu montré l'Arc de triomphe à tes neveux ? f. Elle passera un coup de fil à son frère demain ? g. Prévenez-vous Jean de votre arrivée ? h. Avez-vous indiqué le chemin à ce nouveau client ?

275 a. lui b. Nous c. elle d. vous e. eux f. elles g. eux h. moi

276 a. elles b. lui c. eux d. elle e. eux f. toi g. moi h. nous

277 a. je vous donne ... b. elle fait ce tableau/elle le fait pour eux. c. je voyage avec elle. d. j'habite à côté d'elle. e. j'ai/nous avons choisi ce disque pour lui. f. elle marche devant elles. g. il est près de moi. h. vous dînerez sans nous.

278 a. nous y travaillons/j'y travaille. b. elle y entre ... c. on s'y retrouve. d. je n'y passe pas une ... e. ils y font ... f. je n'y vais pas. g. elle y habite. h. on y déjeune.

279 a. ils y louent une maison. b. elle y habite. c. ils y restent une semaine. d. nous y avons skié. e. il y fait une colonie de vacances. f. j'y suis passée. g. elle y partira bientôt. h. ils y ont marché.

280 a. j'en sors. b. Il en part de bonne ... c. elle en vient. d. ils en rentrent à ... e. nous en recevons. f. j'en reviens. g. il en sort. h. ils en reviennent.

281 a. 1 b. 5 c. 1 d. 3 e. 1/4 f. 1 g. 1/4 h. 3

282 a. ils en achètent trop. b. il en reste quelques-uns. c. elle n'en a pas beaucoup. d. il en fait trop. e. je n'en ai pas assez. f. ils en suivent peu. g. elle n'en boit pas assez. h. je n'en ai pas suffisamment.

283 a. 2 b. 1 c. 3 d. 3 e. 2 f. 3 g. 1 h. 3

284 a. 3 b. 2 c. 6 d. 1 e. 7 f. 8 g. 4 h. 5

285 a. Ne l'écoute pas. b. Dis-moi la ... c. N'y partons pas. d. Mettez-le. e. N'en buvez pas. f. Prenez-le ... g. Ne nous téléphone pas ... h. Ne les accompagne pas ...

286 a. Non, elle ne l'a pas emporté. b. Oui, j'y suis passé. c. Oui, ils l'ont aimé. d. Non, ils ne s'y sont pas inscrits. e. Non, je n'en ai pas pris. f. Oui, nous y avons travaillé/j'y ai travaillé. g. Oui, il en a acheté un. h. Non, je ne l'ai pas revu.

287 a. Elle voudrait lui parler. b. Je vais en acheter. c. Il n'a pas pu le visiter. d. Elle ne devait pas la fermer. e. Nous préférons en acheter quelques-uns. f. Il souhaite y aller. g. On déteste le prendre dehors. h. Je ne peux pas leur téléphoner.

288 a. Ne le dites à personne. b. Catherine ne peut pas le faire. c. Nous voulons y aller. d. Il ne l'a pas pris. e. Ne nous donnez pas ça. f. Je refuse de lui écrire. g. Ne les portez pas. h. Il ne l'a pas vendu.

Bilans

289 1. vous 2. y 3. en 4. y 5. l' 6. en 7. les 8. je 9. l' 10. me 11. l' 12. vous 13. les 14. les 15. leur 16. vous 17. vous

290 1. y 2. moi 3. lui 4. lui 5. la 6. me 7. te 8. lui 9. me 10. y 11. me 12. l' 13. m' 14. t'

15. leur 16. Eux 17. en 18. te 19. moi/nous
20. moi 21. te

IX. LE PASSÉ

291 a. viens de commencer d. vient de décoller
e. viennent de rentrer   g. vient de rencontrer
h. vient de comprendre

292 a. vient de créer b. vient de perdre c. vient
d'ouvrir d. vient de faire e. vient de démissionner
f. vient d'annoncer g. vient de commencer h. vient
d'inaugurer

293 a. elle vient de déjeuner. b. nous venons/je
viens d'arriver. c. il vient de partir. d. ils viennent de
déménager. e. je viens/nous venons de le regarder.
f. je viens de le lire. g. je viens de les faire. h. vous
venez de le signer.

294 a. je viens de la comprendre. b. ils viennent de
les finir.   c. je viens de rentrer chez moi.   d. elle
vient de les prendre. e. nous venons d'y aller.
f. tu viens de passer devant.   g. elles viennent de
le brancher.   h. je viens d'en prendre un.

295 a. dansé b. donné c. joué d. mangé e. parlé
f. appelé g. jeté h. étudié

296 a. écrit b. répondu c. grossi d. lu e. appris
f. cru g. su h. admis

297 a. mettre b. entendre c. faire d. éteindre
e. venir f. répondre g. réussir h. voir

298 a. Nous pouvons ... b. Je crois ... c. Elle veut
... d. Il choisit ... e. Vous lisez ... f. Ils découvrent
... g. On comprend ... h. J'attends ...

299 Conviennent : a. voulu b. revenu c. vu d. compris
e. appris f. réussi g. pu h. dû

300 a. Ils ont aimé ... b. Vous avez fait ... c. On a
goûté ... d. Vous avez vu ...   e. Elle a appris ...
f. Nous avons visité ... g. Tu as joué ... h. J'ai
découvert ...

301 a. Tu as entendu ... b. Elles ont écouté ... c. On
a vu ... d. Nous avons vu ... e. J'ai revu ... f. Il a
relu ... g. J'ai passé ... h. Vous avez découvert ...

302 a. a développé b. ont découvert c. a réussi
d. ont reçu e. a traversé f. a su g. a créé h. ont
construit

303 est monté – est descendu – est devenu – est
tombé – est sorti – est allé – est arrivé – est resté –
est mort – sont venues

304 a. a b. a c. est d. a e. est f. a g. a h. a

305 a. sont   b. ont   c. sont   d. sont   e. ont
f. sont g. ont h. sont

306 a. a b. ont c. sont d. sont e. ont f. ont
g. a h. ont

307 a. Il a suivi ...   b. il est devenu ...   c. Il a
rencontré ... d. Il a fait ... e. il a entrepris ... f. Il
a obtenu ... il a rencontré ... g. il a reçu ... et a
connu ...   h. Il a vécu ... il est mort ...

308 a. ∅ b. ∅ c. allée d. descendues e. ∅
f. devenus g. rentrée h. ∅

309 a. ∅ b. devenue c. ∅ d. née e. ∅ f. ∅
g. ∅ h. ∅

310 a. découvert b. passé   c. restés   d. lancé
e. partis f. descendu g. allée h. passé

311 a. Elles ont rendu ...   b. Vous êtes parties ...
c. Nous avons vu ... d. Elles sont allées ... e. Vous
avez nettoyé ... f. Ils sont passés ... g. Elles ont
fait ... h. Nous sommes rentrées ...

312 a. Ce costume, il l'a acheté. b. Cette armoire,
on l'a rangée.   c. Cette chemise, je l'ai repassée.
d. Ces pull-overs, elle les a pliés.   e. Ce bouton
de veste, il l'a recousu.   f. Ces chaussures, elle les
a cirées.   g. Ces chaussettes, je les ai lavées.
h. Cet imperméable, tu l'as nettoyé ?

313 a. 3/4 b. 6 c. 2 d. 7 e. 8 f. 1 g. 4 h. 5

314 a. Elle s'est levée ...   b. elle s'est douchée.
c. elle s'est habillée.   d. elle s'est coiffée.   e. elle
s'est maquillée. f. elle s'est dépêchée ... g. Elle s'est
préparée ...   h. elle s'est dirigée ...

315 a. Il s'est rendu ...   b. Il s'est allongé ...   c. Il
s'est reposé ... d. Il s'est inquiété ... e. Il s'est invité
... f. Il s'est changé ... g. Ils se sont retrouvés ...
h. Ils se sont couchés ...

316 a. Elle a embrassé ...   b. Elle s'est assise et a
ouvert ...   c. Elle s'est mise ...   d. Elle a fait ... elle
a pris ...   e. Elle a répondu ... a classé ... et s'est
occupée ...   f. Elle s'est arrêtée ... et a acheté ...
g. Elle a quitté ...   h. ... elle s'est dirigée ...

317 a. Je n'ai pas utilisé ... b. Elle n'a pas demandé
... c. On n'a pas installé ...   d. Il ne s'est pas servi
... e. Nous n'avons pas reçu ... f. Elle n'a pas su
... g. Je n'ai pas laissé de message. h. Ils n'ont
pas envoyé de télécopie.

318 a. Ils n'ont rien voulu.   b. On n'a invité
personne ... c. Tu n'as rien acheté ? d. Elle n'a
croisé personne ...   e. Vous n'avez rien entendu ?
f. On n'a rien mangé ...   g. Nous n'avons écrit à
personne. h. Il ne s'est occupé de rien.

319 a. Se sont-ils parlé tout de suite ? b. Se sont-
ils regardés ?   c. S'est-il approché d'elle ?   d. Lui
a-t-elle proposé de s'asseoir ?   e. Lui a-t-il offert un
café ? f. Est-elle partie longtemps après ?/Est-elle
restée longtemps ?   g. Se sont-ils revus ensuite ?
h. Se sont-ils mariés ?

320 a. Es-tu/Êtes-vous allée au cinéma cette
semaine ?   b. As-tu/Avez-vous fait du sport ?
c. As-tu/Avez-vous fait de la natation ?   d. As-tu/
Avez-vous acheté des magazines ?   e. Qu'est-ce

que tu as/vous avez acheté ? f. Qu'as-tu/avez-vous fait le week-end dernier ? g. Qu'as-tu/avez-vous fait avec ta/votre mère ? h. As-tu/Avez-vous visité l'exposition Cézanne ?

321 a. j'ai/nous avons beaucoup progressé ... b. elle n'a pas regardé souvent la ... c. ils ont un peu joué ... d. ils n'ont pas bien déjeuné ... e. nous sommes allés souvent au ... f. il a trop mangé ... g. ils ont suivi régulièrement ... h. je n'ai/nous n'avons pas assez maigri ...

322 a. j'allais ... b. vous étiez ... c. ils avaient ... d. on travaillait ... e. on voyait ... f. elle faisait ... g. tu parlais ... h. nous écoutions ...

323 a. Vous mettiez ... b. Nous voulions ... c. Elles devaient ... d. Vous allumiez ... e. Ils ne pouvaient pas ... f. Nous mettions ... g. Vous déménagiez ... h. Elles faisaient ...

324 a. était b. partait c. se levait d. allaient e. rentrions f. pouvions g. prenait h. nous couchions

325 a. Les enfants naissaient ... b. Plusieurs générations vivaient ... c. On travaillait ... d. Les vacances n'existaient pas ... e. Nous nous nourrissions ... f. Les filles aidaient ... g. Les garçons étudiaient ... h. On accordait ...

326 a. on ne pouvait pas ... b. on n'envoyait pas de fax ... c. nous ne faisions pas ... d. vous n'aviez pas ... e. les enfants ne se servaient pas ... f. Internet n'existait pas ... g. le câble ne retransmettait pas d'images ... h. on n'avait pas peur ...

327 a. vient de mettre ... avait b. viens d'essayer ... étais c. vient de partir ... s'ennuyait d. vient d'apporter e. fonctionnait ... vient de tomber f. viens de trouver ... cherchais g. viens de le croiser ... marchait h. vient de comprendre ... disait

328 *Conviennent :* a. avons visité b. je viens de raccrocher c. viens de le perdre d. a acheté e. a pris ... est restée f. viens de l'arrêter g. venons d'arriver h. je viens d'attraper

329 a. était b. a écrit c. a combattu d. a commencé e. représentait f. demandaient g. recherchaient h. reposait

330 a. Tu avais ... tu as bénéficié b. Martine a changé ... elle s'entendait c. L'ouragan était ... il a provoqué d. Il pleuvait ... le soleil est revenu e. Antoine s'est endormi ... il voulait f. Nous voulions ... nous avons voyagé g. Je n'ai pas trouvé ... je cherchais h. Comme il ne se sentait pas ... Marc est rentré ...

Bilans

331 1. était 2. finissait 3. terminait 4. se rappelait 5. s'est mis 6. est allé 7. était 8. tombait 9. s'est dit 10. allait 11. s'est réveillé 12. soufflait 13. a voulu 14. ne fonctionnait pas 15. a ouvert

16. a découvert 17. recouvrait 18. a voulu 19. n'y avait pas

332 *Conviennent :* a. a écrit b. a arrêté ... coûtait c. ont été d. a eu e. a chanté ... portait ... a donné f. a-t-il fait ... ont atteint g. l'a enterré h. a inaugurée ... était ... ne pouvait pas

X. LE FUTUR

333 c. invitons d. travaillent e. se retrouve g. étudie

334 a. vas c. va d. vais g. va h. allez

335 a. elle va bientôt étudier ... b. je vais bientôt vivre ... c. nous allons bientôt faire ... d. ils vont bientôt voyager ... e. je vais bientôt enregistrer ... f. on va bientôt avoir ... g. il va bientôt être ... h. nous allons bientôt parler ...

336 a. Vous allez déposer les ... b. Vous allez déjeuner ... c. Vous allez partir pour Carthage à 14 h 00. d. Vous allez visiter les ruines de 15 h 00 à 17 h 00. e. Vous allez déguster des ... f. Vous allez rentrer ... g. Vous allez dîner au cabaret ... h. Vous allez voir un ...

337 a. La municipalité va agrandir ... b. Les enfants vont sortir ... c. Nous allons créer ... d. Vous allez recevoir ... e. Je vais ouvrir ... f. On va faire ... g. Nous allons installer ... h. Vous allez participer ...

338 a. boirai b. écrirez c. danseras d. prendra e. dirons f. chantera g. grandiras h. mettrai

339 a. être b. devoir c. aller d. avoir e. courir f. savoir g. faire h. pouvoir

340 a. Ils composeront ... b. Nous brancherons ... c. Elles inscriront leur demande ... d. Vous attendrez ... e. Nous lirons ... f. Ils noteront ... g. Nous éteindrons ... h. Elles pourront ...

341 a. 3 b. 2/5 c. 6 d. 7 e. 3/8 f. 4 g. 1 h. 2

342 a. 6 b. 2 c. 1 d. 7 e. 4 f. 8 g. 5 h. 3

343 a. sortirons ... s'arrêtera b. quitterez ... rejoindrez c. conduira ... aura d. verrai ... porterai e. sentiras ... prendras f. prendrons ... voudrez g. fera ... étudiera h. courrez ... pleuvra

344 a. Votre situation s'améliorera. b. Vous connaîtrez ... c. Il durera ... d. vous serez ... e. votre vie changera ... f. Quelqu'un tombera ... g. Vous vivrez ... h. Vous aurez ...

345 a. Il faudra ... b. Vous laverez ... c. Vous n'oublierez pas d'essuyer/Vous essuierez ... d. Il y aura ... e. Vous étendrez ... sera ... f. vous irez ... g. Vous me direz combien je vous dois ... h. Vous partirez ...

346 a. verras ... recommencera b. reviendra c. auras d. chanterons e. oublierai f. boirai g. mourras h. descendras

347 a. il y aura du … b. il ne fera pas … c. il ne neigera pas … d. les températures ne baisseront pas … e. une tempête ne se préparera pas … f. le vent ne soufflera pas … g. il ne gèlera pas … h. il ne faudra pas …

348 a. 7 b. 4/5 c. 4/5/8 d. 1 e. 4/5/8 f. 1/2 g. 2/3/8 h. 1/6/8

349 *Conviennent :* a. téléphonerez b. fêterons c. va s'occuper d. soignera e. va ouvrir f. aura g. ce sera h. vont arriver

350 a. vais être b. allez faire c. parleront d. vais te préparer e. allons rater f. vivra g. va écouter h. étudierai

351 a. c. d. e. g.

352 a. 7 b. 4 c. 8 d. 2 e. 1 f. 3 g. 6/8 h. 5/7

353 a. prendras b. courrons c. réserve d. déménageons e. devra f. apprécierez g. enverrai h. sera

Bilans

354 1. finissez 2. allez faire 3. vais partir 4. ai 5. entrerai 6. n'est pas 7. irai 8. commencerai 9. vais prendre 10. travaillerai 11. étudierai 12. préparerai 13. serai 14. aura

355 *Conviennent :* 1. vais apporter 2. serez 3. viendrez 4. déciderons 5. serai 6. allons commencer 7. ouvrira 8. accueillera 9. pourra 10. aurez 11. allons travailler

XI. LES PRONOMS RELATIFS

356 a. Jean-Paul Rappeneau est un cinéaste qui a réalisé … b. Juliette Binoche est une actrice qui a joué … c. Christian Lacroix est un grand couturier qui crée … d. Patricia Kaas est une chanteuse qui a chanté … e. Marie-José Pérec est une athlète qui est … f. Ariane Mnouchkine est un metteur en scène qui travaille … g. Philippe Starck est un designer qui crée … h. Jean-Louis Etienne est un explorateur qui a traversé …

357 a. 6 b. 3 c. 5 d. 7 e. 8 f. 4 g. 2 h. 1

358 a. Va chercher les cadeaux. Ils sont sous le sapin. b. On sort beaucoup le soir du 21 juin. C'est la date de la fête de la Musique. c. Paul part à la retraite. Il organise une soirée pour ses collègues. d. Mes enfants ont invité leurs copains. Ils étudient à la faculté. e. Ma fille aura bientôt 15 ans. Elle veut faire une petite fête à la maison. f. Le muguet du 1ᵉʳ mai est une fleur. Elle porte bonheur toute l'année. g. Nous passerons la nuit de la Saint-Sylvestre avec des amis. Ils viennent de Lyon. h. Les invités ne peuvent pas venir. Ils ont écrit pour s'excuser.

359 *Phrases possibles :* a. n'est pas intéressante. b. parle cinq langues. c. est culturelle. d. a remporté la Palme d'or à Cannes ? e. parle des nouvelles technologies ? f. plaisante toujours dans ses émissions ? g. a des problèmes financiers ? h. est en noir et blanc.

360 *Conviennent :* a. qu' b. que c. qu' d. qu' e. qu' f. que g. qu' h. que

361 a. Anne écoute un disque qu'elle aime … b. Elle regarde des vidéos qu'elle emprunte … c. Mes amis ont beaucoup de livres qu'ils me prêtent … d. Dominique, m'as-tu rendu ce CD que je t'ai demandé ? e. Tu lis des magazines que Patrick te prête … f. Il vient d'acheter une chaîne hi-fi qu'il voulait … g. Mes parents m'ont offert un téléphone portable que je n'utilise pas. h. Nous voulons voir le film que tout le monde a déjà vu.

362 a. C'est une cravate que je porte souvent. b. C'est une machine que je conseille aux clients. c. Ce sont des livres policiers que je lis. d. Ce sont des bagages que j'emporte avec moi. e. Ce sont des gants en cuir que j'achète. f. C'est un plat que j'ai choisi. g. C'est Paul que je vois tous les jours. h. C'est un vin rouge que je bois.

363 a. qui … que b. que … qui c. qui … qui d. qui … que e. qui … qui f. qu' … qui g. que … qui h. qui … qu'

364 a. que b. que c. qui d. que e. qui f. qui g. que h. qui

365 a. que→5 b. qui→7 c. qui→1 d. que→8 e. qu'→4 f. que→2 g. qui→3 h. qui→6

366 a. qui b. qu'il c. qu'ils d. qu'il e. qui f. qu'ils g. qui h. qu'il

367 a. qui b. que c. qu' d. qui e. qui f. que g. qu'il h. qui

368 a. 2 b. 4 c. 6 d. 1 e. 3 f. 8 g. 5 h. 7

369 a. C'est un hôtel où l'accueil est extraordinaire. b. Vous passez vos vacances en Italie où vous avez de la famille. c. C'est la clinique où Marc est né. d. On court dans le bois où mes enfants montent à cheval. e. Je travaille à Strasbourg où le Parlement européen se réunit. f. C'est le théâtre où (l')on passe la grande pièce de la rentrée. g. Voici un musée où vous devriez passer un après-midi. h. Nous voyageons en Égypte où nos amis habitent.

370 a. … un jour où je n'étais pas chez moi. b. … une année importante où il y a eu la Révolution française. c. … les mois où les Français prennent leurs vacances. d. … un dimanche où il neigeait. e. … un hiver où il faisait très doux. f. … l'année 1981 où Mitterrand a été élu président. g. … un soir où tu donnais une fête. h. … le mois de mai où ils préparent leurs examens.

371 a. qui b. où c. qui d. où e. que f. où g. qu' h. que

372 *Phrases possibles :* a. passe par le boulevard Montmartre. b. je n'aime pas. c. les articles sont très longs. d. joue beaucoup avec ses peluches. e. elle désire rencontrer. f. va jusqu'à Vienne. g. il y a de l'action. h. tu nous avais conseillée.

373 a. Mes voisins ont acheté un appartement qu'ils ont trouvé au Croisic et où ils passent leurs vacances. b. Roland-Garros est un tournoi de tennis qui se déroule à Paris et où l'on peut voir de grands joueurs qu'on admire. c. Versailles est une ville qui est située à 14 km de Paris où vous pourrez visiter son magnifique château que vous serez ravi de quitter pour vous promener dans les jardins. d. Tours est une ville calme qui se trouve dans la vallée de la Loire et où vous dégusterez du bon vin.

Bilans

374 1. qui 2. qu' 3. que 4. où 5. qui 6. où 7. qu' 8. où 9. qui 10. qu' 11. qui 12. où

375 1. qui 2. où 3. que 4. que 5. qu' 6. qui 7. qu' 8. qui 9. qui 10. qui

XII. LES COMPARATIFS/LES SUPERLATIFS

376 b. plus ... que d. plus ... que f. plus h. plus ... que

377 a. plus ... que b. moins ... que c. aussi ... que d. moins ... que e. aussi ... que f. plus ... qu' g. aussi ... qu' h. moins ... que

378 *Phrases possibles :* a. La femme est aussi intelligente que l'homme. b. Jacques Chirac est moins populaire que Gérard Depardieu. c. Le Concorde est plus rapide que le TGV. d. Le cinéma est plus intéressant que la télévision. e. Le champagne est aussi bon que le vin. f. La machine à écrire est moins utilisée que l'ordinateur. g. Mexico est aussi peuplé que Le Caire. h. L'opéra est moins écouté que le rock.

379 *Conviennent :* a. autant b. autant c. aussi d. aussi e. autant f. autant g. aussi h. autant

380 *Phrases possibles :* a. âgé qu'Éric. b. sportif qu'Éric. c. la ville qu'Éric. d. de musique qu'Éric. e. intelligent que Marc. f. beau que Marc. g. la ville que Marc. h. la musique que Marc.

381 a. aussi b. autant c. autant d. autant e. aussi f. aussi g. autant h. aussi

382 a. autant de b. autant c. autant de d. autant de e. autant f. autant g. autant de h. autant de

383 a. autant b. autant d' c. autant de d. autant e. aussi f. aussi g. autant h. autant de

384 a. moins b. plus de c. autant d' d. autant d' e. aussi f. plus g. moins de h. autant

385 a. bon ... bien b. mieux c. meilleure d. mieux e. bien ... bon f. bien ... mieux g. bonne ... meilleur h. meilleurs

386 a. mieux b. mieux c. meilleure d. meilleur e. meilleur f. mieux g. mieux h. mieux

387 a. bien ... mieux b. bon ... meilleur c. bon ... meilleur d. bien ... mieux e. bon ... meilleur f. bien ... mieux g. bien ... mieux h. bien ... mieux

388 a. Des moments plus forts que forts. b. Plus d'éclat, moins d'années. c. On va beaucoup plus loin avec nos voitures. d. Les bébés sont plus au sec. e. Il faudrait être fou pour dépenser plus ! f. Votre regard visiblement plus jeune. g. Qui peut faire meilleure impression ? h. Quand la peau est mieux nourrie, elle s'épanouit.

389 a. moins de ... que b. aussi ... qu' c. moins ... que d. moins ... que e. aussi ... qu' f. plus de ... qu' g. plus ... qu' h. moins ... que

390 a. aussi ... que b. plus ... qu' ... qu' c. plus ... que d. aussi ... qu' e. moins d' ... qu' f. moins de ... qu' g. plus ... qu' h. plus d' ... qu'

391 a. plus de ... qu' b. autant de ... qu' c. plus de ... de ... qu' d. moins ... qu' e. autant de ... qu' ... plus de ... de f. autant ... qu' g. moins ... qu' h. Plus de ... que

392 b. les mieux payés c. le plus visité e. le plus grand f. la plus fréquentée h. le plus grand

393 a. les plus b. la meilleure c. le plus d. le moins e. le moins f. les moins g. les plus ... les plus h. le meilleur

394 *Phrases possibles :* a. Selon moi, le chien est l'animal le plus affectueux. b. À mon avis, tromper son mari ou sa femme sans rien dire est le plus gros mensonge. c. Dans mon pays, la cerise est le fruit le plus cher. d. La sieste est le meilleur moment de la journée. e. Pour moi, la cuisine française est la meilleure. f. À mon avis, Venise est la plus belle ville du monde. g. *West Side Story* est le film le plus intéressant dans le genre comédie musicale. h. Selon moi, la chute du mur de Berlin est l'événement le plus important.

Bilans

395 1. meilleur 2. le plus beau 3. aussi ... que 4. la plus belle 5. plus vieux qu' 6. la meilleure 7. autant d' ... que 8. les plus belles 9. le mieux

396 1. aussi 2. autant 3. moins 4. la moins 5. meilleure 6. plus 7. le meilleur 8. Les meilleurs 9. le mieux 10. moins de 11. autant de 12. Plus de 13. mieux 14. plus de 15. plus de 16. moins 17. plus

XIII. LES ADVERBES

397 a. fortement b. autrement c. rarement d. justement

398 a. poli b. large c. étroit d. joli e. riche f. sale g. calme h. triste

399 a. naïvement b. mollement c. sèchement d. longuement e. doucement f. heureusement g. courageusement h. passivement

400 a. puissamment b. fréquemment c. suffisamment d. patiemment e. évidemment f. abondamment g. couramment h. brillamment

401 a. doucement b. tranquillement c. lentement d. franchement e. simplement f. correctement g. complètement h. méchamment

402 a. bon b. bon c. bien d. bien e. bon f. bon g. bien h. bon

403 a. mieux b. meilleurs c. meilleur d. mieux e. meilleurs f. mieux g. mieux h. meilleur

404 a. bon b. meilleur c. mieux ... mieux d. bien e. bonne f. bon g. meilleurs h. mieux

405 a. très b. très c. beaucoup d. beaucoup e. beaucoup f. très g. beaucoup h. très

406 Conviennent : a. très b. très c. trop d. très e. trop f. très g. très h. trop

407 a. Sophie n'est pas rentrée tard ... b. On s'entend relativement bien. c. Elles se voient rarement ... d. Nous avons bien réfléchi ... e. Elle a longuement parlé/parlé longuement ... f. Il est très rapide ; il a déjà tout fini. g. On a souvent pensé ... h. C'est assez facile ...

408 a. 6 b. 5 c. 4 d. 3 e. 8 f. 2 g. 1 h. 7

409 a. Nous viendrons très bientôt à Paris. b. On lui téléphone assez souvent. c. Pourquoi n'ont-ils pas répondu plus clairement ? d. Il a beaucoup trop mangé. e. J'ai assez bien compris. f. Il est bien trop désagréable. g. Ils ne viennent presque jamais. h. Elle écrit vraiment mal.

410 a. il habite là-bas. b. on ne vient jamais dans ce café. c. ils prennent rarement l'avion. d. vous nous attendez dehors. e. je fume encore. f. je conduis vite. g. nous n'allons nulle part. h. elle dort beaucoup.

Bilan

411 1. vraiment 2. clairement 3. Évidemment 4. bien 5. précisément 6. Franchement 7. mieux 8. calmement 9. très 10. bien 11. terriblement 12. Habituellement 13. toujours 14. immédiatement 15. mieux 16. exactement 17. sincèrement

XIV. SITUER DANS LE TEMPS

412 a. pendant b. Dans c. Dans d. pendant e. dans f. Pendant g. pendant h. Pendant

413 a. en b. En ... en c. Pendant d. en e. pendant f. Pendant g. Pendant h. en

414 Conviennent : a. dans b. en c. en d. en e. dans f. Dans g. en h. en

415 a. depuis b. pendant c. pendant d. pendant e. depuis f. Pendant g. depuis h. Pendant

416 a. 2/3/6/7 b. 1/3/4/5/8

417 Phrases possibles : a. Il y a 5 ans qu'Antoine ... b. Il y a 4 ans, Aurélie ... c. Il y a 2 ans que Jérémy ... d. Il y a 1 an qu'Émilie ... e. Il y a 2 ans, Léopoldine ... f. Il y a 18 mois que Léon ... g. Il y a 3 semaines, Martin ... h. Il y a 10 ans, Sébastien ...

418 a. Ça fait/Il y a ... qu' ... b. Depuis qu' ... Ø c. Depuis qu' ... Ø d. Ça fait/Il y a ... que e. Depuis que ... Ø f. Ça fait/Il y a ... qu' g. Ça fait/Il y a ... que h. Depuis qu' ... Ø

419 a. Il y a b. depuis qu' c. pendant d. Depuis e. dans f. en g. il y a h. depuis

420 a. Bientôt b. maintenant c. Tout de suite d. Ce matin/Maintenant/Tout de suite ... cet après-midi e. aujourd'hui f. hier g. aujourd'hui/tout à l'heure h. Tout à l'heure

421 a. matin/soir b. années c. journée d. ans/jours e. matinée f. soirée g. soir ... journée h. année

422 a. 7 b. 5/6 c. 1/2 d. 4/8 e. 3 f. 5/6 g. 1/2/3 h. 4/8

423 a. PR b. PA c. PA/PR d. F e. F f. PR/PA g. PA h. PR

424 a. naîtra b. vit c. as changé d. aura e. demande f. a répondu g. faites-vous h. commence – commencera

425 a. vient de téléphoner b. est c. pourra d. a augmenté e. Continuerez f. avons passées g. lit h. va neiger

426 a. conduit b. avez rempli c. irez d. se connaît e. ont fait f. pense-t g. avez ... étudié h. portes

427 Phrases possibles : a. Vous mettez combien de temps pour faire Caen-Paris ? b. Quand rentrez-vous ? c. Quand est-elle arrivée à Grenoble ? d. Depuis quand sont-ils en France ? e. Il y a combien de temps que tu travailles ? f. Quand faites-vous du sport ? g. Quand/Dans combien de temps partirons-nous en vacances ? h. Quel jour le mariage aura-t-il lieu ?

Bilan

428 1. il y a 2. jamais 3. en 4. Il y a/Ça fait ... que 5. en 6. pendant 7. Pendant 8. pendant 9. dans 10. bientôt

15

XV. LA QUANTITÉ

429 a. cent quatre-vingt-dix-huit b. quinze c. trois cent soixante-six d. un virgule trente e. vingt-cinq mille ... douze ... sept f. Neuf mille quatre cent trente-trois ... deux mille sept cents g. quatre cent cinquante mille h. vingt et un ... quarante et un

430 a. trente pour cent ... mille neuf cent soixante b. Cinquante-huit pour cent ... mille neuf cent soixante-dix c. Vingt-huit pour cent d. quatorze mille quatre cents ... mille neuf cent quatre-vingt-seize e. vingt-six millions f. seize virgule trois pour cent g. soixante-deux h. sept

431 a. 5 b. 2 c. 6 d. 8 e. 7 f. 4 g. 1 h. 3

432 a. En 1997, combien/quelle proportion de femmes entre 25 et 49 ans travaillaient ? b. En moyenne, quels sont la taille et le poids des Français ?/Combien mesurent et pèsent les Français ? c. Quel pourcentage de femmes sont députés ?/Quel est le pourcentage de femmes parmi les députés ? d. Quel pourcentage/Combien d'hommes et de femmes lisent régulièrement un quotidien national ? e. Quelle quantité/Quelle proportion/Combien de Français et de Françaises pratiquent un sport ? f. En 1999, combien/quel pourcentage de femmes et d'hommes étaient au chômage ? g. En moyenne, combien les femmes gagnent-elles de moins que les hommes pour un travail identique ? h. En moyenne, les Françaises passent combien de temps par jour pour les travaux de la maison ?

433 a. de b. de c. de d. d' e. de f. d' g. de h. de

434 *Conviennent :* a. quelques b. un peu de c. quelques d. quelques e. un peu de f. un peu de g. un peu d' h. Quelques

435 a. beaucoup de b. beaucoup de c. très d. beaucoup d' e. beaucoup f. très g. beaucoup de h. beaucoup

436 *Phrases possibles :* a. je n'aime pas du tout/j'aime peu les pizzas. b. je fais beaucoup de sport. c. je n'ai pas assez de/j'ai peu de/je n'ai pas du tout de temps libre. d. je n'étudie pas du tout/je n'étudie pas assez/j'étudie peu. e. je mange beaucoup de/trop de gâteaux. f. je téléphone trop. g. j'achète beaucoup de/trop de chocolat. h. je n'ai pas du tout de/je n'ai pas assez de/j'ai peu de mémoire.

437 a. différents b. Certaines c. quelques d. plusieurs/quelques e. plusieurs f. plusieurs g. Certains h. quelques

438 a. quelques ... quelques-unes b. quelques ... quelques-uns c. quelques ... quelques-unes d. quelques ... quelques-uns e. quelques ... quelques-uns f. quelques ... quelques-uns g. quelques ... quelques-uns h. quelques ... quelques-unes

439 a. chacun b. Chaque c. chaque d. chacun e. chacune f. chaque g. chacune h. chacune

440 *Conviennent :* a. Tous b. Chaque c. Toutes d. Chaque e. Tous f. Toutes g. Chaque h. Tous

441 a. tout b. tous c. Toute d. tous e. tous f. Toutes g. toute h. Tous

442 b. c. f. h.

443 a. tous b. tous c. Tous d. toutes e. toutes f. tous g. tous h. toutes

444 *Conviennent :* a. tout b. tous c. tout d. tous e. tout f. tout g. tous h. tous

445 a. Tout b. toutes c. tous d. toutes e. Tous f. tout g. toute h. tout

446 a. tout b. tout c. toute d. Tout e. toute f. tout g. tout h. toute

447 a. je t'en achète. b. je n'en prends pas. c. il en faut. d. je n'en mets pas. e. j'en veux. f. je n'en mange pas. g. je n'en veux pas. h. j'en ai.

448 *Phrases possibles :* a. Vous voulez du fromage ? b. Vous désirez encore un peu de champagne ? c. Combien de pommes voulez-vous ? d. Tu bois beaucoup de café ? e. Tu mets du sucre dans ton thé ? f. Tu manges des légumes ? g. Est-ce que tu veux encore de la glace ? h. Combien de tranches de jambon désirez-vous ?

Bilans

449 1. Quelques 2. quelques 3. treize 4. vingt 5. Tous 6. quinzième 7. dix pour cent 8. deuxième 9. tout 10. toute 11. très 12. cinq degrés 13. très 14. vingt-cinq degrés 15. neuf millions trois cent mille 16. très 17. trente millions 18. cinquième 19. beaucoup 20. seize pour cent 21. toutes

450 *Conviennent :* 1. en 2. quelques 3. Tous 4. différentes 5. beaucoup 6. très 7. trop 8. assez 9. Certains 10. chaque 11. beaucoup 12. du 13. très 14. un peu 15. Chacun 16. tous 17. en 18. combien 19. en 20. plusieurs 21. de la 22. chaque